TVSCVLINVM ✲ weil wir unseren Freunden Muße gönnen

Tusculinum – Frivoles, Komisches und Philosophisches aus der antiken Literatur.
Die Reihe Tusculinum ist die kleine Schwester der Sammlung Tusculum, die seit 1923 erscheint und die umfangreichste Sammlung zweisprachiger Textausgaben im deutschen Sprachraum ist.

TM

Aristophanes

Die Wolken & Die Vögel

Übersetzt von
Ludwig Seeger
Anmerkungen von
Hans-Joachim Newiger
Einführung und
Überarbeitung von
Bernhard Zimmermann

Artemis & Winkler

Wissenschaftliche Beratung der Reihe
Niklas Holzberg
Rainer Nickel
Karl-Wilhelm Weeber
Bernhard Zimmermann

Originaltitel: *Nephelai* & *Ornithes* (griech.)
Bibliographische Information der Deutschen Nationalbibliothek

Die Deutsche Nationalbibliothek verzeichnet diese Publikation in der Deutschen Nationalbibliographie; detaillierte bibliographische Daten sind im Internet über http://dnb.d-nb.de abrufbar.

Graphisches Konzept und Umschlaggestaltung:
Gabriele Burde, Berlin

Printed in Germany
ISBN 978-3-538-03538-6

Inhaltsverzeichnis

Zu dieser Ausgabe

Die vorliegende Ausgabe beruht auf der klassischen Übersetzung der Komödien des Aristophanes von Ludwig Seeger, Frankfurt am Main 1845–1848.

Einführung

Aristophanes – Leben und Werk

Der Dichter »war immer der Meinung, / man müsse zuerst an dem Ruder stehen, bevor man ans Steuer sich setze, / dann müsse man noch auf dem Vordeck erst dienen und achten des Windes, / bis zu lenken das Schiff auf eigene Hand man vermöge«. Mit diesen Versen lässt in den *Rittern* (Verse 541–544) Aristophanes den Chorführer in nautischer Metaphorik seine Karriere als Komödiendichter beschreiben: Die untergeordnete Arbeit des Ruderers entspricht der ersten Etappe seines Schaffens, als er mit anderen, etablierten Autoren zusammenarbeitete und ihnen zuarbeitete; indem er zum Beispiel einzelne Szenen für ihre Stücke verfasste. In den *Wespen* (Verse 1018–1020) spricht er ganz offen aus, dass er anfangs »nur insgeheim als Gehilfe von anderen Poeten / ... / und versteckt in den Bäuchen von anderen Spaß produzierte«. Die zweite Etappe wird durch die *Daitales* (*Die Schmausbrüder*), aufgeführt im Jahre 427 v. Chr., eingeleitet, sein erstes eigenes Stück, das er jedoch wie die *Babylonier* des Jahres 426 und die *Acharner* des Jahres 425 nicht selbst inszenierte, sondern dessen Regie er einem gewissen Kallistratos übertrug, bis er sich schließlich im Jahre 424 – nach den Lehrjahren – in der Lage fühlte, ›das Schiff selbst zu steuern‹, das heißt, für sein Stück (*Ritter*) die volle Verantwortung als Dichter und Regisseur (*chorodidaskalos*) zu übernehmen.

Schon als junger Autor feierte Aristophanes große Erfolge auf der komischen Bühne. Auf einen zweiten Platz mit seinem Erstlingswerk, den *Daitales* (nicht erhalten), folgten drei Siege in Folge mit den *Babyloniern* (nicht erhalten), *Acharnern* und *Rittern* (aufgeführt 426 und 424 v. Chr.). Diese Erfolge lassen sich in ihrer Tragweite erst dann richtig einschätzen, wenn man berücksichtigt, dass die komische Bühne in Athen von nur wenigen angesehenen, älteren Dichtern dominiert wurde. Umso größer war seine Enttäuschung, als er mit den von ihm selbst hoch eingeschätzten *Wolken* (423) in der Gunst des Publikums durchfiel und nur den dritten Rang im Wettstreit der Komödiendichter belegte.

Aristophanes, geboren um 450 v. Chr. und gestorben nach 385 v. Chr. in Athen, erlebte in seiner Jugend den kulturellen und politischen Höhepunkt Athens unter Perikles. Als etablierter Komödiendichter musste er den langsamen Zerfall des Nährbodens seiner Gattung, der attischen Demokratie, unter den Nachfolgern des Perikles in den Jahren des Peloponnesischen Krieges bis zum endgültigen Zusammenbruch der Polis im Jahre 404 v. Chr. mit ansehen. Seine letzten Lebensjahre schließlich fallen in die Zeit der Restaurationsbemühungen der Demokraten und des allmählichen Wiederaufschwungs Athens in den 90er Jahren des 4. Jahrhunderts. Aristophanes ist damit der einzige der großen Dramatiker der klassischen Zeit, der das Epochenjahr 404 überlebte – Euripides verstarb 406, Sophokles 405 –, und seine letzten drei Komödien, *Frösche*, *Ekklesiazusen* und *Plutos*, sind eindrucksvolle Zeugnisse einerseits des Bewusstseins, dass eine bedeutende Phase athenischer Dichtung ihren Endpunkt erreicht hat, sowie andererseits des einschneidenden Wandels, den die Gattung Komödie nach 404 vor dem Hintergrund der neuen politischen und sozialen Verhältnisse nach dem Ende der Vormachtstellung Athens durchlief.

In den *Fröschen* entwickelt Aristophanes eine Vorstellung, die die Literaturgeschichte prägen sollte: das Bild einer goldenen Zeit der Literatur, einer Klassik, die er in der tragischen Trias, in Aischylos, Sophokles und Euripides, verwirklicht sieht.

Antike Quellen weisen Aristophanes eine unterschiedliche Zahl von Komödien zu. Bezeugt sind 45 Titel. Elf Stücke sind auf dem Weg der handschriftlichen Überlieferung ganz erhalten, von den verlorenen Komödien besitzen wir immerhin 924 mehr oder weniger umfangreiche Fragmente. Bei der Datierung der Stücke befinden wir uns – ganz im Gegensatz zu den Tragödien des Sophokles und Euripides – auf sicherem Boden: *Acharner* (425), *Ritter* (424), *Wolken* (423), *Wespen* (422), *Frieden* (421), *Vögel* (414), *Thesmophoriazusen* (*Die Frauen, die das Thesmophorenfest begehen*) (411), *Lysistrate* (411), *Frösche* (405), *Ekklesiazusen* (*Die Frauen in der Volksversammlung*) (393–391; Datierung umstritten), *Plutos* (*Der Reichtum*) (388). In den meisten Fällen sind wir auch über die Platzierungen des Aristophanes im komischen Agon informiert, so dass wir in der Lage sind, seine Karriere als athenischer Bühnenautor zu überblicken.

Die Stücke des Aristophanes werden vielfach als »politische Komödien« bezeichnet. Diese Charakterisierung trifft jedoch nur dann zu, wenn man »politisch« nicht vor dem Hintergrund des modernen, im deutschen Sprachraum durch Brecht geprägten Theaters, sondern in einem umfassenderen, dem Gebrauch zur Zeit des Aristophanes entsprechenden Sinne versteht. Politisch sind die Komödien nach diesem Verständnis, da sie Themen, die das Gemeinwesen (*polis*) betreffen, zum Inhalt haben. Die politischen Zustände und militärischen Ereignisse sowie die intellektuelle Auseinandersetzung im Athen jener Jahre sind der Boden, in dem die Komödien ihre Wurzeln haben, aus dem sie ihren oft bitteren Spott und Witz ziehen.

Der grundsätzliche Bauplan der aristophanischen Komödie lässt sich wie folgt skizzieren: Aus der Kritik an den Zuständen in der Polis erwächst dem Protagonisten eine Idee, wie man der Misere Abhilfe schaffen könnte. Mit Unterstützung des Chores oder gegen dessen Widerstand setzt er im Verlauf des Stückes seinen Plan oft mit phantastischen und märchenhaften Methoden in die Tat um. Im zweiten Teil der Komödie wird in einer Reihe von Szenen vorgeführt, wie der komische Held die

Früchte seines Vorhabens genießt und wie er unliebsame Störenfriede – oft unerfreuliche Typen des öffentlichen Lebens wie Politiker, Denunzianten, Schmarotzer und Intellektuelle – mit Leichtigkeit davonjagt.
Aristophanes bedient sich bei der Gestaltung seiner Komödien vor allem zweier komischer Techniken. Entweder entwickelt der Protagonist einen utopischen Gegenentwurf zu den desolaten Zuständen im Gemeinwesen (*Acharner*, *Vögel*), oder er führt eine völlige Umkehrung der normalen Verhältnisse herbei: Die Frauen entmachten die Männer (*Lsyistrate*, *Ekklesiazusen*), die Jungen die Alten (*Wespen*, in gewisser Weise auch in den *Wolken*), der Einzelne steigt aus der Gesellschaft aus und etabliert einen Gegenstaat, eine Freihandelszone (*Acharner*).
Der politische Hintergrund von neun der elf erhaltenen Komödien des Aristophanes ist der sich über 27 Jahre hinziehende Krieg, den Athen mit Sparta und seinen Verbündeten ausfocht (Peloponnesischer Krieg, 431–404 v. Chr.). Die verschiedenen Phasen des Krieges, die militärischen und politischen Unternehmungen werden im Spiegel der Komödien aufgefangen. Das Wirken der Politiker findet in ihnen – komisch verzerrt und kritisch durchleuchtet – einen unmittelbaren Widerhall. Von gleicher Bedeutung wie die politische und militärische Geschichte ist die intellektuelle Revolution, die von der Sophistik ausging – jener Bewegung, deren aus Platons Dialogen bekannte Hauptvertreter wie Gorgias, Antiphon und Protagoras das Ziel hatten, junge Männer gegen Honorar zu erfolgreichen Politikern zu machen, indem sie ihnen die Kunst beizubringen versprachen, durch die Gewalt der Rede den Zuhörern jede Sache plausibel zu machen, ob sie nun wahr oder falsch sei.
Der Krieg führte mehr und mehr zu einer Verwilderung der Sitte. Tradition, Sitte, Brauch sind für den hier besprochenen Zeitraum die am meisten wirksamen Regulative der Gesellschaft wie der Handlungen des Einzelnen und von daher hier hervorzu-

heben. Unter dem Zwang der Umstände wurden immer häufiger die bisher üblichen und respektierten Normen des demokratischen Zusammenlebens missachtet. Die Sophisten lieferten die Argumente und die rhetorische Technik, um diese um sich greifende Missachtung der Tradition zu legitimieren. Theorien wie das Recht des Stärkeren, wie sie etwa der Sophist Antiphon oder Kallikles im *Gorgias* Platons vertritt, führten im politischen Alltag dazu, dass Einzelne – wie Alkibiades, bedeutender Staatsmann und Stratege zur Zeit des Peloponnesischen Krieges – sich nicht mehr an die demokratischen Spielregeln gebunden fühlten. Je mehr sich die militärischen Misserfolge häuften, desto größere Risse bekam der demokratische Grundkonsens. Der oligarchische Putsch von 411 – als Reaktion auf die fehlgeschlagene Sizilische Expedition – und das kurzfristige Terrorregime der 30 Tyrannen nach der Niederlage Athens im Jahre 404 sind deutlicher Ausdruck der geistigen und politischen Krise, in die die Polis in den 27 Kriegsjahren geraten war.

Vor diesem politischen Hintergrund ist es nicht erstaunlich, dass der Krieg und der Frieden immer wieder im Zentrum der aristophanischen Komödie stehen. Die *Acharner* (425), der *Frieden* (421) und die *Lysistrate* (411) setzen sich unmittelbar mit dem Krieg und seinen Folgen auseinander und spiegeln in der unterschiedlichen Art der Behandlung des Themas die verschiedenen Phasen des Krieges wider. Protagonist in den *Acharnern* ist der Bauer Dikaiopolis – der sprechende Name ist Programm: »der gerecht mit der Stadt umgeht«. Da er die Nase vom Krieg und der Uneinsichtigkeit der Politiker voll hat, errichtet er für sich und seine Familie einen utopischen privaten Friedensraum mitten in den Wirren des Krieges, den er mit bäuerischer Schläue gegen alle möglichen Eindringlinge verteidigt. In der *Lysistrate* zwingen die Frauen aller am Krieg beteiligten griechischen Staaten unter Leitung der Athenerin Lysistrate, der »Heerauflöserin«, ihre Männer durch einen Sexstreik zu

Einsicht und Friedensschluss. Anders ist die Behandlung von Krieg und Frieden im *Frieden* angelegt: In diesem Stück nimmt Aristophanes – gleichsam in der Art eines Festspiels – vorweg, was kurz nach der Aufführung des Stücks Wirklichkeit werden sollte: der Abschluss eines Friedensvertrages zwischen Athen und Sparta.

Der utopische Grundzug der *Acharner* ist in den *Vögeln* weiterentwickelt. Zwei Athener, Peisetairos (der »den Freund überredet«) und Euelpides (der »Naivling«), verlassen aus Überdruss über die in Athen herrschende Hektik, vor allem die Gerichtsbesessenheit ihrer Landsleute, die Heimat, um in den Wolken, bei den Vögeln, einen Ort der Ruhe zu finden. Doch die typische athenische Natur, die ständige Betriebsamkeit, lässt sich nicht ohne weiteres abschütteln. Bei den Vögeln angekommen, erkennt Peisetairos die hervorragende strategische Lage des Vogelreichs zwischen den Menschen und Göttern. Er überzeugt – ganz Sophist – mit seiner Sprachgewalt und Spitzfindigkeit die Vögel, im noch heute so genannten »Wolkenkuckucksheim« ein Imperium zu gründen, das Menschen wie Götter beherrschen werde. Der Plan gelingt: Peisetairos schwingt sich zum Herrscher der Vögel auf und löst am Ende gar Zeus als Weltenherrscher ab. Auf der Oberfläche triumphiert die athenische Durchsetzungskraft. Aber sich göttliche Macht anzumaßen, ja, sogar die Götter zu entmachten und eine Göttin zu heiraten, ist nach dem Verständnis des 5. Jahrhunderts vor Christus religiöser Frevel (*hybris*), so dass die imperialistischen Pläne des Peisetairos vor diesem Hintergrund einen schalen Beigeschmack bekommen. Und dies in dem Jahr, in dem die Athener, von der Rhetorik eines Alkibiades geblendet, unter großer Euphorie ihren Expansionsdrang nach Sizilien richteten – und bitter scheiterten!

Eng mit dem Thema ›Krieg und Frieden‹ ist die Auseinandersetzung mit den führenden Politikern und Strategen der Kriegsjahre verbunden. Spott der derbsten Art über Politiker und Generäle findet man in alle erhaltenen Komödien eingestreut. In den *Rittern* macht Aristophanes dieses Motiv zum Sujet der Komödie: Er bringt den athenischen Staat als Haushalt des Herrn Demos (»Volk«) auf die Bühne. Die Politiker Nikias, Demosthenes und Kleon sind Sklaven, die um die Gunst ihres Herrn buhlen. In einem burlesken Wettlauf der Schmeicheleien setzt sich ein neuer Mann, ein Wursthändler, beim Herrn Demos durch und verdrängt den bisherigen Lieblingssklaven Kleon aus seiner führenden Rolle. Der Teufel wird durch den Beelzebub vertrieben!

Die Kritik an den führenden Politikern in den frühen Komödien ersetzt Aristophanes in den beiden Stücken des 4. Jahrhunderts, den *Ekklesiazusen* und dem *Plutos*, durch eine allgemeiner angelegte Analyse der Gesellschaft und des menschlichen Zusammenlebens. In den *Ekklesiazusen* fassen die Frauen, angeführt von Praxagora, »der, die auf dem Markt agiert«, den Plan, als Männer verkleidet in die Volksversammlung zu gelangen und dort den Entschluss durchzusetzen, dass ihnen alle Macht im Staat übertragen werde. Der Staat sei durch die Männerwirtschaft völlig ruiniert. Der Plan gelingt, und die Frauen erlassen ein kommunistisches Programm völliger Gleichheit. Das Scheitern dieses wohlgemeinten Vorhabens wird im zweiten Teil der Komödie in mehreren Szenen vorgeführt. Der gute Bürger gibt, dem Erlass gehorchend, sein Vermögen ab, der Schlauberger wartet zunächst noch ab, ob sich die Frauen tatsächlich an der Macht halten. Die sexuelle Freizügigkeit, die ein Kernpunkt von Praxagoras Programm darstellt, wird *ad absurdum* geführt, indem sich alte Frauen um einen jungen Mann schlagen, der zu seiner Freundin will. Die Theorie scheitert in der Praxis an der menschlichen Natur.

Viele Stücke prägt das durch den Kriegszustand und die Sophistik hervorgerufene Krisenbewusstsein. Da die Grundlage der sogenannten Alten Komödie des 5. Jahrhunderts die funktionierende attische Demokratie ist, führen Änderungen im bürgerlichen Zusammenleben oder gar Krisen der Demokratie zu Reaktionen in der komischen Dichtung. Leitmotivisch durchzieht die Komödien des Aristophanes die Frage, wie es zur Krise der Polis kommen konnte. Den Hauptschuldigen sieht die Komödie in den Sophisten und in den durch die Sophistik beeinflussten Kreisen. Die einzelnen Komödien des Aristophanes fächern die verschiedenen Bereiche des öffentlichen Lebens auf – Politik, Erziehung, Dichtung, Musik und Wissenschaften –, in denen die Sophisten ihren nach Aristophanes' Überzeugung verderblichen Einfluss ausübten. In den *Wolken* schickt der attische Kleinbürger Strepsiades, »der Verdreher«, und zwar Rechtsverdreher, wie sich herausstellen wird, da er der von seinem Sohn gemachten Schulden nicht mehr Herr werden kann, seinen Sprössling in die ›Denkerei‹ des Erzsophisten Sokrates, wo er die Argumentationskünste lernen soll, um die Gläubiger loszuwerden. Doch die schlechte Absicht kehrt sich gegen ihn selbst. Am Ende beweist ihm sein Sohn, dass er das Recht habe, Vater und Mutter zu verprügeln, so dass der Alte in seiner Verzweiflung zu Gewalt greift und das Haus des Sokrates in Brand steckt.

Den verderblichen Einfluss der Sophistik im Bereich der Dichtung prangert Aristophanes in den literaturkritischen Komödien *Thesmophoriazusen* und *Frösche* an. Im Zentrum der Kritik steht vor allem die durch die Sophistik beeinflusste Tragödie des Euripides. Um dem Publikum zu gefallen, ziehe der Tragiker ständig die erhabene Gattung Tragödie in den Schmutz. Er bringe von schändlichen Leidenschaften getriebene Frauen wie Medea oder Phaidra oder in Lumpen gehüllte Helden wie Telephos auf die Bühne, und es komme ihm mehr auf die Bühnenwirksamkeit eines Stückes, mehr auf die Form und den spielerischen Umgang mit ihr als auf den Inhalt an. Vor allem die

Parodien der Arien und Chorlieder des Euripides in den *Fröschen* (Verse 1309ff. und 1331ff.) zeigen in grotesk übersteigerter Form diese Diskrepanz zwischen Form und Inhalt: Der Text droht zu einem sinnentleerten Klangkörper zu werden, der den Stars der tragischen Bühnen Gelegenheit bietet, ihr Können in Bravourarien unter Beweis zu stellen.
Nach dem Zusammenbruch der demokratischen Polis im Jahre 404 v. Chr. fehlte der politischen Komödie der Nährboden; dies umso mehr, nachdem die überschaubare Polis des 5. Jahrhunderts durch den Flächenstaat Alexanders des Großen abgelöst wurde. Die beiden letzten Komödien des Aristophanes, die im Verhältnis zu den Komödien des 5. Jahrhunderts weniger gezielt politische Entwicklungen aufs Korn nehmen und mehr allgemein menschliche Probleme in den Mittelpunkt stellen, verweisen schon darauf, wie sich die Komödie weiterentwickeln wird: Politische werden durch private Themen abgelöst. Diese sind in verschiedene Epochen und Kulturkreise ohne Schwierigkeiten übertragbar. So beeinflussen denn auch Menander und die sogenannte Neue Komödie durch die Vermittlung der Römer Plautus und Terenz das europäische Lustspiel bis in die Gegenwart hinein, bis zum modernen Boulevard-Theater oder zur Hollywood-Komödie des 21. Jahrhunderts, während Aristophanes erst wieder in den letzten Jahren auf der Bühne zu sehen ist – bezeichnenderweise mit seinen allgemeineren, phantastischen Stücken wie der *Lysistrate* oder den *Vögeln*.

Die Wolken

Einleitung

Es war wohl mehr als ein Zufall, dass die an den großen Dionysien von 423 v.Chr. aufgeführten Komödien alle nicht der großen Politik und dem Kriege gewidmet waren. Die zweite Hälfte des voraufgegangenen Jahres hatte den Athenern empfindliche Niederlagen in Böotien und Nordgriechenland gebracht, und namentlich der Verlust von Amphipolis und mehreren Städten auf der Chalkidike drohte ihre Herrschaft an den nördlichen Küsten der Ägäis ins Wanken zu bringen. Sie gingen daher nur zu gerne im Frühjahr 423 einen einjährigen Waffenstillstand mit Sparta ein, der vier Tage nach der Aufführung unserer Komödie zum Abschluss kam (vgl. Thukydides IV 118).

Aristophanes griff, wenn er in diesem Stück das Problem der Erziehung in den Mittelpunkt stellte, stofflich auf seine erste Komödie, die »Schmausdorfer« (*Daitales*, 427), zurück, in der zwei gegensätzlich erzogene Brüder die Hauptrollen spielten. Dass aber in den *Wolken* die neumodische Bildung gerade durch Sokrates vermittelt wird, hat sie zu einem der berühmtesten und umstrittensten Werke der Weltliteratur gemacht: Ist doch der aristophanische von dem uns durch Platon vertrauten Sokrates, trotz mancher Ähnlichkeiten, darin von Grund auf verschieden, dass er als einer der Sophisten erscheint, gegen die Platon seinen Lehrer gerade kämpfen lässt. Vieles, was in den *Wolken* als Lehre des Sokrates erscheint, gehört in Wahrheit anderen Denkern und wird vom platonischen Sokrates durchaus abgelehnt. In der *Apologie des Sokrates* wird denn auch dieser Komödie eine gewisse Schuld an der Herausbildung eines Vorurteils gegen den Philosophen gegeben – aber das *Gastmahl* zeigt uns Sokrates und Aristophanes in tiefsinnigem Gespräch vereint. In der Bloßstellung der neuen Lehren steht der Dichter gleichsam auf derselben Seite wie Platon; dass gerade Sokrates die Zielscheibe – für viele andere – abgab, lag wohl daran, dass er, anders als die Sophisten, Athener und eine Figur, die den Spott herausforderte, war. Aber das »Sokratesbild« ist bis heute Gegenstand wissenschaftlicher Kontroverse.

Das gilt auch für die Bearbeitung des durchgefallenen Stücks: Umfang und Tendenz der Änderungen sind durchaus strittig. Fest steht, dass das Hauptstück der Parabase (518–562) neu ist und einige Chornummern fehlen (so nach 888); nach antiken Angaben wären auch der Agon der beiden »Reden« und die Schlussszene neu. Doch unbeeinflusst von den Kontroversen um Sokratesbild und Bearbeitung gilt es, das Stück als komische Dichtung und Zeitdokument zu verstehen.

Der Sohn der ungleichen Ehe zwischen dem sparsamen Bauern Strepsiades (»Rechtsverdreher«) und einer feinen städtischen Dame, dessen sprechender Name Pheidippides (»Sparrössling«) die seltsame Mischung offenbart, hat seinen Vater durch seinen vornehmen Hang zu schönen Pferden in schwere Schulden gestürzt. Der Alte meint sich seiner Gläubiger nur entledigen zu können, wenn Pheidippides die sophistische Redekunst, die »die schwächere Sache zur stärkeren macht«, lernt. Aber der Sohn weigert sich, und der Alte begibt sich zur ›Denkerei‹ des Sokrates, um selbst die neue Kunst zu lernen. Sokrates beschwört feierlich die Wolken, die als die neuen Gottheiten der Sophisten mit ihrem leichten, wandelbaren, nebulosen Wesen die Höhenluft philosophischer Spekulation, das Unsolide der neuen Lehren, die Naturwissenschaft und ihr Infragestellen der traditionellen Götterwelt komisch versinnbildlichen – einer der stärksten Einfälle des Dichters. Der Unterricht des Sokrates bietet zunächst nur eine Art Propädeutik (auf der Grundlage der Lehren anderer Denker), und der Alte erweist sich als wenig gelehrig. So muss endlich doch der Sohn dazu gebracht werden, in die ›Denkerei‹ zu gehen.

Ihm stellen sich die gerechte und die ungerechte Rede *in per-*

sona in einem Rededuell vor, in dem sich der Vertreter der schlechten Sache als der Stärkere erweist (Logos = Rede ist im Griechischen männlich, weshalb Seeger mit »Anwalt der guten Sache« usw. übersetzt). Pheidippides lernt nun die ungerechte Rede, und im Vertrauen auf die unbesiegbare Rhetorik seines Sohnes fertigt Strepsiades die mahnenden Gläubiger höhnisch ab – weil sie nichts von den neuen Lehren, die er bei Sokrates aufgeschnappt hat, wissen. Er findet jedoch im eigenen Sohn seinen Meister und verdiente Strafe: vermag dieser ihm doch nun zu beweisen, dass es gerecht sei, den Vater zu prügeln! Da schreitet der gescheiterte Rechtsverdreher zur Rache an Sokrates.

Aristophanes schlug in diesem Stück Themen an, die bis heute beliebte Komödienstoffe blieben: alte und neue Bildung, das Generationenproblem, die Verhöhnung der Intellektuellen. Sie werden hier aber über die private Sphäre hinausgehoben, da die Aufklärung und die rhetorische Bildung durch die Sophisten auch das ganze öffentliche Leben erfasste: vor Gericht, in der Volksversammlung und namentlich bei der Erziehung der Führungsschicht. So ist auch diese Komödie im antiken Sinne des Wortes politisch.

Personen

STREPSIADES, *ein attischer Bauer*
PHEIDIPPIDES, *sein Sohn*
Ein SKLAVE *des Strepsiades*
SCHOLAR *des Sokrates*
SOKRATES, *der Philosoph*
ANWALT DER GUTEN SACHE *(Gerechte Rede)*
ANWALT DER SCHLECHTEN SACHE *(Ungerechte Rede)*
PASIAS } *Gläubiger des Strepsiades*
AMYNIAS }
Weitere Scholaren und Sklaven, Zeugen

CHOR: Die Wolken

Schauplatz: Athen, vor den Häusern von Strepsiades und Sokrates.

Zeit der Aufführung: An den großen Dionysien (März/April) 423 v.Chr. Den 1. Preis gewann Kratinos mit der *Flasche*, den 2. Ameipsias mit dem *Konnos*; die *Wolken* fielen durch.

Das uns vorliegende Stück stellt eine vom Dichter aufgrund des Misserfolgs vorgenommene Bearbeitung dar, die nicht zur Aufführung gelangte.

Die Wolken

Prolog

Morgendämmerung. Straße in Athen mit den Häusern des Strepsiades und Sokrates. Vor dem Haus des Strepsiades der Vater und sein Sohn auf ihrem Nachtlager.

STREPSIADES *erwacht und gähnt:* I-uh! I-uh!
Allmächtiger Zeus, welch ewig lange Nächte!
Nein, zum Verzweifeln! – Will's denn gar nicht tagen?
Den Hahnenschrei hab ich doch längst gehört. –
Die Sklaven schnarchen. – Das gab's früher nicht!
Ein wahres Elend, der verdammte Krieg:
Man muss sich scheun sogar, die Kerls zu prügeln.
Und auch mein hoffnungsvoller Junker dort.
Der wacht die ganze Nacht nicht auf und farzt,
In Geißfelldecken fünffach eingewickelt! –
Meinthalb! – Ich deck mich zu und schnarche mit. –
Nach einer Pause: Ja, wenn ich schlafen könnte! – Au, das zwickt,
Das Zahlen, Rossfüttern, Schuldenmachen
Für dieses Früchtchen da! – Und er? – Mit langen
Gelockten Haaren reitet er und fährt
Und träumt von nichts als Rossen. – Ich verzweifle,
Sooft der Monat halb vorüber ist;
Da rückt der Zins heran. – *Einen Sklaven herausrufend:* He, Bursche, Licht!
Und bring das Hauptbuch! – Muss doch nachsehn, wem
Ich alles schuld und was die Zinsen machen.
Der Sklave bringt Licht und Buch.
Lass sehn: Was bin ich schuldig? – Pasias:
Zwölf Pfund! – Dem Pasias zwölf? – Wofür? – Aha!

Der Goldfuchs, den ich kauft'! – Ein Auge gäb ich
Darum, hätt ich gespart die goldnen Füchse!
PHEIDIPPIDES *im Schlafe:* Philon, das gilt nicht! Fahr auf deiner Bahn!
STREPSIADES: Da habt ihr's! Das ist grade mein Ruin!
Von nichts als Rossen spricht er selbst im Traum.
PHEIDIPPIDES *wie oben:* Wie viele Fahrten gilt's mit dem Gespann?
STREPSIADES: Mir gilt's! Mich, deinen Vater, jagst du rum!
Liest weiter im Buch:
Pasias! – »Was lastet sonst für Schuld auf mir?« –
Amynias für Rad und Sitz drei Minen.
PHEIDIPPIDES *wie oben:*
Fort mit dem Ross zur Schwemm und dann nach Haus!
STREPSIADES *lauter:*
Mich schwemmst du weg von Haus und Hof, du Schlingel!
Der will sein Geld zurück, zehn andre drohn
Mich auszupfänden für die Zinsen –
PHEIDIPPIDES *erwachend:* Vater,
Was stöhnst und wälzt du dich die ganze Nacht?
STREPSIADES: Mich beißen hier im Bett – Gerichtsvollzieher.
PHEIDIPPIDES: Hör, Alter, lass mich noch ein wenig ruhn!
Schläft wieder ein.
STREPSIADES: Schlaf du nur zu; die ganze Schuldenlast,
Das sag ich dir, fällt doch auf deinen Kopf!
Für sich: Verdammte Kupplerin, die mich beschwatzt,
Dass ich zum Weibe deine Mutter nahm!
Das schönste Leben hatt ich auf dem Lande:
Auf fauler Haut und recht im Speck und Dreck,
Behaglich unter Honig, Wall und Trestern!
Da nahm ich, Bauer, aus dem Haus Megakles
Megakles' Nichte, städtisch, üppig, stolz
Und flott, die eingefleischte Koisyra:

Als ich mit der das Hochzeitsbett bestieg,
Roch ich nach Hefe, Käs und schmutzger Wolle,
Sie nach Pomade, Schmink und Zungenküsschen,
Verschwendung, Schlemmerei und Aphrodite.
Faul war sie nicht, o nein, sie zettelte
Am Webstuhl, und ich zeigt' ihr oft mein Wams
Und sprach verblümt: »Frau, du verzettelst viel!«
DER SKLAVE: In unsrer Lamp ist nicht ein Tropfen Öl!
STREPSIADES: Was brennst du denn auch die versoffne
Ampel?
Komm her, ich will dir! *Schlägt nach ihm.*
SKLAVE: Aber, Herr, warum denn?
STREPSIADES: Was steckst du grad den dicksten Docht hinein?
Sklave ab. Strepsiades wieder für sich:
Danach, als uns dies Söhnchen ward beschert.
Will sagen, mir und meiner wackern Ehfrau,
Gleich zankten wir uns über seinen Namen:
Sie wollt' ein »Hippos« dran, 'nen Ritternamen,
Philipp, Charipp, Xanthipp, Kallipides,
Ich, nach dem Großpapa: Pheidonides.
Wir stritten hin und her, bis wir zuletzt
Eins wurden, ihn Pheidippides zu nennen.
Sie nahm ihn auf den Arm und streichelt' ihn:
»Wenn du mal groß bist und im Purpurrock
Zur Stadt führst wie Megakles« – »Nein, wenn du
Im Schafpelz«, fiel ich ein, »vom Phelleuswald
Heim mit den Ziegen fährst, wie einst dein Vater«,
Was half's? Auf meine Lehren hört' er nicht
Und hat mir nun auch Hab und Gut verrösselt.
Da sinn ich nun die Nacht durch hin und her,
Und einen Ausweg hab ich jetzt gefunden,
Nein, göttlich, einzig! – Folgt er mir, bin ich
Gerettet! – Hoch zuerst will ich ihn wecken;

Doch ja recht sanft! – lass sehn, wie mach ich das? –
Pheidippides! *Geht an sein Lager.* Pheidippideschen!
PHEIDIPPIDES: Vater?
STREPSIADES: Komm, küsse mich und gib mir deine Hand!
PHEIDIPPIDES *steht auf:* Da! Und was weiter?
STREPSIADES: Sag, hast du mich lieb?
PHEIDIPPIDES: Das weiß Poseidon dort, der Gott der Rosse!
STREPSIADES: Ich bitt dich, lass den Rossgott aus dem Spiel,
Der hat mich in das Herzeleid gebracht;
Nein, wenn du in der Tat mich zärtlich liebst,
Dann folge nur, mein Sohn!
PHEIDIPPIDES: Was soll ich denn?
STREPSIADES: Kehr um von Stund an, führ ein andres Leben,
Und geh und lerne, was ich dir empfehle.
PHEIDIPPIDES: Sag nur, was willst du?
STREPSIADES: Folgst du auch?
PHEIDIPPIDES: Ich folge,
Beim Dionys!
STREPSIADES: Komm her und sieh mal dort:
Siehst du das Pfortchen und das Häuschen da?
PHEIDIPPIDES: Ich seh es, Vater! Und was ist's damit?
STREPSIADES: Das ist die Denkerei gelehrter Seelen,
Da wohnen Männer, die beweisen dir:
Der Himmel sei ein mächtger Kohlenofen,
Der uns umgibt, und wir die Kohlen drin;
Die lehren dich fürs Geld die Kunst, mit Worten
Recht oder Unrecht siegreich zu verfechten.
PHEIDIPPIDES: Wer sind denn die?
STREPSIADES: Die Namen weiß ich nicht:
Doch Grübelspekulanten, Herrn von Stand.
PHEIDIPPIDES: Pah! Lumpen sind's, ich weiß; die Scharlatane,
Die blassen Barfüßler meinst du wohl, zum Beispiel
Den armen Sokrates und Chairephon!

STREPSIADES: He! He! So schwatze doch nicht wie ein Kind!
Und liegt dir was am Brotkorb deines Vaters,
Dann halte dich an sie, und lass das Rösseln!
PHEIDIPPIDES: Nein, beim Dionys, und wenn du auch die schönsten
Wallachen des Leogoras mir schenktest!
STREPSIADES: Mein Liebstes auf der Welt! Geh hin, studiere
Mir dort!
PHEIDIPPIDES: Was soll ich denn für dich studieren?
STREPSIADES: Man sagt, dass sie zwei Künste dort besitzen,
Die Kunst der guten und der schlechten Sache.
Der Redner, der der schlechten sich bedient,
Gewinnt, so heißt's, auch wenn er unrecht hätte.
Wenn du die ungerechte Kunst mir lernst,
Dann kriegt kein Gläubiger von allem Geld,
Das ich für dich geborgt, 'nen roten Heller.
PHEIDIPPIDES: Das kann ich nicht. So käsegelb, wie die –
Wie könnt ich noch ins Aug den Rittern sehn?
STREPSIADES: Dann, bei Demeter, friss woanders, du,
Du selbst, dein Rennpferd und dein Sattelgaul!
Ich jag dich aus dem Haus, verdammter Schlingel!
PHEIDIPPIDES: Was scher ich mich um dich? Mein Ohm Megakles
Lässt mich nicht ohne Ross: Ich geh zu dem! *Ab.*
STREPSIADES *allein:* Gefallen, bleib ich nicht geschlagen liegen!
Mit Gottes Hilfe lern ich selbst noch was!
Ich selber geh jetzt in die Denkerklause.
Geht auf Sokrates' Wohnung zu, bleibt stehen.
Doch werd ich – alt, vergesslich, langsam, wie
Ich bin – kapieren all die Tüftelein?
Entschlossen: Nur zu! Was zaudr' ich da noch lang? – Wohlan,
Ich klopf einmal! He, Junge, Jüngelchen!
Ein Scholar kommt heraus.

DER SCHOLAR: Zum Henker auch! Wer klopft da an die Tür?
STREPSIADES: Strepsiades, Sohn Pheidons, von Kikynna.
SCHOLAR: Du roher Mensch, bar aller Zucht des Denkens,
So barsch zu klopfen! – Ein Begriff, soeben
Im Werden, ward durch dich zur Fehlgeburt.
STREPSIADES: Verzeih! Ich bin halt bäurisch aufgewachsen;
Doch sag, was ist das mit der Fehlgeburt?
SCHOLAR: Nur den Scholaren wird das anvertraut.
STREPSIADES: Dann sag du mir's nur frei: denn als Scholar
Komm ich hierher zur Philosophenklause.
SCHOLAR: Nun denn – allein betracht es als Geheimnis! –
Den Chairephon fragt Sokrates soeben:
Wie viel Flohfüße weit ein Floh wohl hüpft.
Dem Meister nämlich sprang just auf den Kopf
Ein Floh, der Chairephon am Aug gestochen.
STREPSIADES: Wie hat er das gemessen?
SCHOLAR: Hör und staune:
Er fängt den Floh, lässt Wachs zergehn und taucht
Ihn mit den Füßen drein, das Ding erkaltet:
Pantoffeln trägt der Floh, ganz angegossen;
Die nimmt er ab und misst damit die Weite.
STREPSIADES: Großmächt'ger Zeus, das nenn ich Geist und Scharfsinn!
SCHOLAR: Was sagst du erst, wenn du von einer andern
Idee des Meisters hörst?
STREPSIADES: Von welcher; sprich!
SCHOLAR: Denk! Chairephon aus Sphettos fragt' ihn jüngst,
Wofür er sich entscheid: Ob durch das Mundstück
Die Schnaken singen oder durch den Bürzel.
STREPSIADES: Ei, und wie löst' er dann die Schnakenfrage?
SCHOLAR: Er sprach: »Der Darmkanal der Schnaken ist
Sehr eng. Da drängt die eingepresste Luft
Nun mit Gewalt sich durch, dem Bürzel zu;

Und weil die Öffnung plötzlich sich erweitert,
Fährt mit Musik der Wind zum Loch heraus.«

STREPSIADES: So war ein Schnakenloch 'ne Art Trompete! –
Heil dem aposteriorisch tiefen Forscher!
Wer so durchdringt den Hintern einer Schnake,
Kriecht leicht auch durch die Gänge der Justiz.

SCHOLAR: Jüngst freilich kam um einen Kraftgedanken
Er durch 'ne Eidechs.

STREPSIADES: Ei, wieso? Lass hören!

SCHOLAR: Nacht war's! Des Mondes Bahn und Wechsel eben
Erforschend, sah er auf mit offnem Mund;
Da scheißt vom Dach herab auf ihn das Tierchen.

STREPSIADES *lachend:* Ein lustig Tierchen! – scheißt auf Sokrates!

SCHOLAR: Hör, gestern Abend hatten wir nichts zu essen.

STREPSIADES: Ei nun, wie griff er's an, euch Brot zu schaffen?

SCHOLAR: Er streute feine Asche auf den Tisch,
Nahm einen Bratspieß, bog ihn krumm und zirkelt' –
Aus der Palaistra einen Mantel sich.

STREPSIADES: Was? Und wir staunen noch den Thales an?
Mach auf! Geschwind! Mach auf die Denkerei!
Ich muss, ich muss ihn sehn, den Sokrates!
Mich schülert's ganz entsetzlich: Tu mir auf!

Das Innere der Denkerstube wird auf dem Ekkyklema sichtbar: Bleiche und magere Scholaren zu Boden blickend und teils gebückt die Erde musternd; oben in einer Art Hängematte Sokrates; außerdem astronomische und geometrische Geräte, eine Landkarte, ein Lotterbett.

STREPSIADES *fährt zurück:* Hilf, Herakles! Welch wundersame Tiere!

SCHOLAR: Du staunst? Wie kommen sie dir vor?

STREPSIADES: Wie die
Von Pylos, die spartanischen Gefangnen. –
Was sehn denn die so bleich und stier zur Erde?
SCHOLAR: Sie suchen, was die Erde birgt.
STREPSIADES: Ach so,
Sie suchen Zwiebeln: Oh, bemüht euch nicht!
Ich zeig euch, wo recht schöne, große stecken. –
Was tun denn d i e, gebückt, die Nas am Boden?
SCHOLAR: Sie spähn dem Urgrund nach tief unterm Hades.
STREPSIADES: Ihr Hintern aber schaut ja auf zum Himmel?
SCHOLAR: D e r treibt Astronomie auf eigne Faust.
Zu den Scholaren: Hinein, damit er euch nicht hier erwischt!
STREPSIADES: So lass sie doch, sie sollen bleiben, bis
Ich ihnen mein Geschäftchen vorgetragen.
SCHOLAR: Nein, nein, beileib, sie dürfen nicht so lang
Hier draußen bleiben an der frischen Luft!
STREPSIADES *auf eines der Geräte zeigend:*
Bei allen Göttern, sprich, was ist dann das?
SCHOLAR: Astronomie, mein Freund!
STREPSIADES *auf andere Geräte deutend:* Und dieses da?
SCHOLAR: Geometrie.
STREPSIADES: Wofür ist das denn gut?
SCHOLAR: Um Land zu messen.
STREPSIADES: Wie? verlostes Land?
SCHOLAR: Land überhaupt, das Erdreich.
STREPSIADES: Ganz charmant!
Das ist doch was fürs Volk, erklecklich, praktisch.
SCHOLAR *auf eine Landkarte zeigend:* Hier ist die ganze Erde.
Siehst du hier Athen?
STREPSIADES: Das soll Athen sein? Glaub ich nicht!
Wo sitzt denn da auch nur ein einz'ger Richter?
SCHOLAR: Verlass dich drauf, hier siehst du Attika!
STREPSIADES: Wo sind denn meine Landsleut in Kikynna?

SCHOLAR: Da drinnen stecken sie! – Sieh her, daneben
Liegt auch Euböa, hier, lang hingestreckt.
STREPSIADES: Ich weiß schon, wir und Perikles streckten's hin. –
Wo ist denn Lakedaimon?
SCHOLAR: Wo? Da, hier!
STREPSIADES: So nah bei uns? Studiert doch ernstlich drauf,
Dass ihr es von uns wegschafft – möglichst weit!
SCHOLAR: Du Narr, das geht nicht.
STREPSIADES: Ei so geht zum Teufel!
Sieht in die Höhe und erblickt den Sokrates:
Wer ist denn der dort in der Hängematte?
SCHOLAR *mit gedämpfter Stimme:*
Er!
STREPSIADES *laut:* Wer »er«?
SCHOLAR: Sokrates.
STREPSIADES: Du, Sokrates!
Sokrates bleibt unbeweglich.
Zum Scholaren: Du, ruf mir ihn einmal recht tüchtig an!
SCHOLAR *geht hinein und macht sich zu schaffen:*
Ruf du ihn selbst, ich habe keine Zeit.
STREPSIADES: O Sokrates! – O Sokrateschen
Du dort!
SOKRATES *aus der Höhe:* Was rufst du mich, Eintagsgeschöpf?
STREPSIADES: Sag mir zuerst doch, was du machst da oben?
SOKRATES *langsam und feierlich:* In Lüften schweb und Helios überseh ich.
STREPSIADES: So? Über unsre Götter siehst du weg? –
Warum denn hoch im Korb und nicht am Boden?
SOKRATES: Wie könnt ich wahr das Überirdsche deuten,
Wenn schwebend nicht des Geistes zarter Äther
Mit dem verwandten Element sich mischte?
Umsonst vom Boden unten schaut ich auf

Nach oben: Denn die Erde zieht zu sich
Unwiderstehlich des Gedankens Tau:
Ein Beispiel hast du an der Brunnenkresse.
STREPSIADES: Was sagst du da?
Das Denken zieht den Tau der Kresse zu? –
Hör, Sokrateschen, komm zu mir herunter,
Ich will was lernen, komm und sei mein Lehrer!
SOKRATES *lässt sich herab:* Was willst du lernen?
STREPSIADES: Reden möcht ich lernen.
Die Zinsen und die groben Gläubiger,
Die plündern, pfänden, ziehn mich völlig aus.
SOKRATES: Wie kamst du denn in Schulden, dummer Mensch?
STREPSIADES: Rossfieber heißt die Krankheit, die mich frisst. –
Doch lehre mich von deinen beiden Künsten,
Die, nichts zu zahlen; und das Honorar
Erleg ich gleich, das schwör ich bei den Göttern!
SOKRATES: Bei welchen Göttern? – Denn die Götter sind
Hier abgeschätzte Münz.
STREPSIADES: Wie schwört denn ihr?
Bei eisernen, wie's in Byzanz gebräuchlich?
SOKRATES: Willst du der Götter Wesen aus dem Grund
Begreifen lernen?
STREPSIADES: Ja, bei Zeus, wenn möglich.
SOKRATES: Und mit den Wolken selber Zwiesprach halten,
Die unsre Götter sind?
STREPSIADES: Das möcht ich gern.
SOKRATES *deutet nach einem Lotterbett:* So setze dich auf
diesen heil'gen Sitz!
STREPSIADES: Das kann ich schon! Da sitz ich.
SOKRATES: So! Jetzt nimm
Den Kranz.
STREPSIADES: Wozu den Kranz? *Ängstlich:* Ach, Sokrates,
Wollt ihr mich opfern wie den Athamas?

SOKRATES: Mitnichten! – Solches tun wir stets, wenn einer Wird eingeweiht.

STREPSIADES: Was hab ich denn davon?

SOKRATES *setzt ihm einen Kranz aufs Haupt und bestreut ihn mit Mehlstaub.*

Ein Sprecher wirst du, flink, gewandt, gerieben,
Wie Mehlstaub fein –
Strepsiades, dem der Staub ins Gesicht fällt, schüttelt sich.
So halt doch still!

STREPSIADES: Wahrhaftig,
So ist's, schon bin ich um und um voll Staub.

Parodos

SOKRATES *feierlich:*

Andächtiges Schweigen geziemt dem Greis, und es lausche sein Ohr dem Gebete! –
Betend: Allwaltende Herrin, unendliche Luft, du hältst in der Schwebe den Erdball!
Du strahlender Äther und Göttinnen ihr, blitzdonnergewaltige Wolken,
Erhebt euch, erscheinet, erhabene Fraun, in den Höhen dem sinnenden Forscher!

STREPSIADES:

Nein, ich bitte, noch nicht! Lass den Mantel mich erst um den Kopf ziehn wider die Nässe!
Verdammt, dass ich heut auch gerade von Haus bin ohne den Filzhut gegangen!

SOKRATES:

Kommt, kommt, hochheilige Wolken, und gönnt ihm den Anblick eurer Gestalten!

Wo ihr immer verweilt, auf Olympos' Höhn, den beschneiten, heiligen, oder
In Vater Okeanos' Gärten, vereint mit den Nymphen zum festlichen Reigen,
Ob am Hütenden Nil ihr soeben die Flut in goldenen Eimern heraufzieht,
Ob ihr schwebt am mäotischen See oder fern auf dem schneeigen Gipfel des Mimas:
Wo ihr seid, o erhört mich und schauet mit Huld auf das Opfer der heiligen Weihe!

Strophe

CHOR DER WOLKEN *noch unsichtbar:*
Schwimmende Wolken, ans Licht
Ziehn wir, die leuchtenden, ewig beweglichen Unversieglichen,
Ziehen, herauf aus dem Schoße des tosenden
Vaters Okeanos, auf zu den waldigen
Gipfeln der Berge, schaun
Nieder auf fernhin erglänzende Zinnen, auf
Saaten, hinab auf die feuchte, heilige
Erd und die göttlichen, rauschenden Ströme bis
Hin zu des wogenden, stöhnenden Meeres Flut:
Unermüdet ja leuchtet das Auge des Äthers
Schwimmend in heitrer Klarheit! –
Auf denn! Wir schütteln von unsern unsterblichen
Leibern die tauige Hüll, und mit leuchtendem
Aug schaun wir von fern auf die Erde.
Blitz und Donner.

SOKRATES:
Ihr erhabenen Wolken, ihr habt mich erhört und erscheint mir von Auge zu Auge!

Zu Strepsiades: Und vernahmst du die göttliche Stimm und den Knall des rollenden heiligen Donners?

STREPSIADES:

O gewisslich, ich bet, ihr Erhabnen, euch an, und es drängt mich, dawiderzudonnern,
Ach, es kommt mir, es kommt: So entsetzliche Furcht, solch Zittern und Beben ergreift mich,
Ob's die Gottheit erlaubt oder nicht, ich vermag es nicht länger zu halten – ich kacke!

SOKRATES:

Mensch, lass nur die Possen, geriere dich nicht wie die Schauspieler in der Komödie!
Andächtige Stille! Der Göttinnen Schar, sie naht sich mit heil'gem Gesänge!

Gegenstrophe

CHOR *noch unsichtbar:*

Jungfraun mit tauendem Haar
Schweben wir hin zu Athenes gesegneten Gauen, des Kekrops
Heldenerzeugende, liebliche Flur zu schaun,
Die das Geheimnis mystischer Feier wahrt,
Wo sich das Heiligtum
Öffnet am Feste der Weihe den Schauenden,
Dort, wo Geschenke, Bilder und ragende
Tempel die himmlischen Götter verherrlichen,
Festliche Züge der Frommen, der Seligen,
Jubel der Blumenbekränzten und Schmausenden
Wechseln im Reigen des Jahres,
Dort, wo man feiert im Lenze des Bakchos Fest,
Fröhlich mit Tanz und Gesang um die Wette zum
Volltönenden Klange der Flöten!

STREPSIADES:
Ich beschwöre dich bei dem allmächtigen Zeus, wer sind sie denn, Sokrates, die da,
Die so prächtig singen, so furchtbar schön? Halbgöttinnen, sollte man glauben!
SOKRATES:
Bewahre, die himmlischen Wolken sind's, der Müßigen göttliche Mächte,
Die Gedanken, Ideen, Begriffe, die uns Dialektik verleihen und Logik
Und den Zauber des Worts und den blauen Dunst, Übertölplung, Floskeln und Blendwerk.
STREPSIADES:
Drum ist mir doch auch, da ihr Lied ich vernahm, meine Seel in den Äther geflogen,
Und versucht jetzt schon dialektisch den Rauch zu zerlegen in seine Atome,
Jeden Satz zu zersetzen mit Sätzchen und fein auf die Silben mit Silben zu stechen;
Drum verlangt es mich sehr, wenn es irgend erlaubt, sie von Antlitz zu Antlitz zu schauen.
SOKRATES:
So blicke nur hin nach der Parnes dort, schon seh ich gemessenen Schrittes
Sie herniederwandeln.
STREPSIADES *den Kopf hier- und dorthin wendend:*
Ei, zeig mir doch, wo?
SOKRATES: Dort rücken heran sie in Masse,
Durch Schluchten und Büsche, dort seitwärts herab, siehst du?
STREPSIADES: Das begreif mir ein andrer!
Ich seh sie ja nicht!
SOKRATES: An dem Eingang dort!

STREPSIADES: Eine Spur kaum seh ich von ihnen!

Der Chor der Wolken zieht in die Orchestra ein.

SOKRATES:

Aber jetzt doch wohl: sonst glaub ich, du hast Schmalzklumpen, wie Kürbsen, im Auge.

STREPSIADES:

Beim Zeus, ja, ja! Ihr Erhabnen! Ich seh, schon wimmelt der Boden von Wolken.

SOKRATES:

Und du wusstest es nicht, und du glaubtest es nicht, dass sie Göttinnen sind und unsterblich?

STREPSIADES:

Meiner Seel, ich sah sie mein Lebtag an für Tau und Nebel und Dünste.

SOKRATES:

Soso? Und du weißt also nicht, dass sie die Sophisten, die vielen, ernähren,
Quacksalber, Propheten echt thurischen Stamms, brillantringfingrige Stutzer,
Dithyrambische Schnörkelverdrechsler zuhauf, sternschnuppenbeguckende Gaukler:
Sie füttern sie alle, das müßige Volk, das ihnen zu Ehren lobsinget.

STREPSIADES:

Drum singen sie auch »von des feuchten Gewölks blitzschlängelnd-verheerendem Sturmschritt«,
Von den »Locken des hunderthäuptigen Typhon« und »blasenden Wirbelwinden«,
Von der duftigen, tauig krummklauigen Schar luftmeerdurchschwimmender Vögel
Und von »Wassergüssen des Regengewölks«; und für diese Ergüsse verschlingen

Sie die leckersten Stücke des prächtigsten Aals und die köstlichsten Krammetsvögel!

SOKRATES:
Und verdienen sie das um die Wolken denn nicht?

STREPSIADES: Meinthalben! Erklär mir nur eines:
Wenn sie Wolken doch sind, leibhaftig, wie kommt's, dass wie sterbliche Weiber sie aussehn?
Die droben, die sind doch wahrhaftig nicht so!

SOKRATES: Ei nun, und wie sehen denn die aus:

STREPSIADES:
Das kann ich so recht nicht beschreiben, ich mein, wie ein Haufen verzettelter Wolle;
Von Weibern einmal nicht die mindeste Spur! Und die da – die haben ja Nasen!

SOKRATES:
Du, gib einmal Antwort! ich frage dich –

STREPSIADES: Schnell, nur heraus damit, ohne Präambel!

SOKRATES:
Hast du nie in der Höh eine Wolke gesehn, an Gestalt gleich einem Kentauren
Oder Panthertier oder Wolf oder Stier?

STREPSIADES: Ei, warum nicht? Aber was soll das?

SOKRATES:
Sie geben sich jede beliebge Gestalt; zum Exempel, sie sehn einen geilen,
Langhaarig verwilderten Bubenfreund, wie etwa den Sohn Xenopliantos',
Gleich äffen sie nach des Verrückten Figur und verwandeln sich selbst in Kentauren.

STREPSIADES:
Was machen sie denn, wenn sie Simon sehn, mit der Hand in dem Säckel des Staates?

SOKRATES:
Sie zeichnen ihn treu ganz nach der Natur und verwandeln sich selber in Wölfe.

STREPSIADES:
So, drum: Als sie gestern Kleonymos sahn, den Schildwegwerfer, da wurden
Sie beim ersten Blick auf die Memme sogleich in flüchtige Hirsche verwandelt.

SOKRATES:
Und weil sie den Kleisthenes, den dort, erblickt – du siehst ihn? –, drum wurden sie Weiber.

STREPSIADES *zum Chor:*
Nun, so seid nur gegrüßt, ihr erhabenen Fraun! Wenn einem, tut mir den Gefallen,
Und lasst, ihr Durchlauchtigen, tönen einmal die himmeldurchrollende Stimme!

CHOR *zu Strepsiades:*
Sei auch du mir gegrüßt, du bemooster Greis, du ideenverfolgender Weidmann!
Zu Sokrates: Hoherpriester des Gallmathias, auch du! Tu kund dein Verlangen! Wir hören!
Denn keinem andern, fürwahr, von der Zunft der Luftsophisten verleihen
Wir Gehör, als etwa dem Prodikos, der es verdient durch Weisheit und Tiefsinn,
Und dir, weil du breit durch die Straßen stolzierst und die stierenden Augen umherwirfst,
Stets barfuß gehst und den Leib kasteist und die Nas – als der Unsre – so hoch trägst.

STREPSIADES:
Alle Welt! wie erhaben die Stimme tönt, majestätisch, übernatürlich!

SOKRATES: Kein Wunder! Die einzigen Götter sind sie, und das andre ist all Larifari!

STREPSIADES: Wie, Zeus, der olympische Zeus, der soll kein Gott sein? – nicht existieren?

SOKRATES: Nur nicht albern! Was faselst du da mir von Zeus? Es gibt keinen Zeus!

STREPSIADES: Ei, was sagst du;
Und wer regnet denn dann? Das musst du nun doch mir vor allen Dingen erklären!

SOKRATES: Wer? Diese, sonst niemand: Das will ich dir gleich mit gewichtigen Gründen beweisen!
Du, sag mir einmal, ob du jemals den Zeus hast regnen sehn ohne Wolken?
Bedenk doch: Ein Regen aus blauer Luft, und die Wolken sind dann wohl auf Reisen?

STREPSIADES:
Bei Apollon, das sitzt ja wie angeschweißt, das hast du vortrefflich bewiesen!
Sonst freilich, da glaubt ich, wenn Zeus durch ein Sieb sein Wasser abschlage, dann regn' es.
Jetzt sag mir, wer macht denn den Donner? Denn sieh, da fahr ich halt immer zusammen.

SOKRATES:
Sie donnern, wenn übereinandergerollt sie sich wälzen.

STREPSIADES *in tragischem Stil:* Tollkühner, was sagst du?

SOKRATES:
Wenn in reichlichem Maße mit Wasser gefüllt, sie von innen getrieben dahinziehn,
Erdwärts durch die Schwere des Regens gedrückt, dann stürzen die wogenden Wasser
Sich übereinander und bersten entzwei und krachen und poltern im Platzen.

STREPSIADES:
Wer treibt sie denn aber? Das ist doch Zeus, der sie nötigt sich fortzubewegen?

SOKRATES:
Nein, Mensch, der ätherische Wirbel ist's!

STREPSIADES: Der Wirbel? Das wusst ich noch gar nicht!
Dass es Zeus nicht gibt und an seiner Statt der Wirbel nunmehr regieret.
Doch immer noch hast du mir eins nicht erklärt, dies Donnern und Krachen und Wettern.

SOKRATES:
Ei, hörst du denn nicht, was ich eben gesagt von den Wolken, den wassergefüllten,
Wie sie übereinander sich stürzen, gebläht und zusammengeworfen zerplatzen?

STREPSIADES:
Wie versteh ich denn das?

SOKRATES: Nun, so merk einmal auf, an dir selber mach ich dir's deutlich.
Ist dir's nie an den Panathenäen passiert, dass dein Magen, mit allerlei Brühen
Überfüllt, dir mit Knurren Molesten gemacht, mit Reißen und Blähn und Rumpumpeln?

STREPSIADES:
Beim Apollon, gar oft; da rumort es in mir und fährt mir durch die Gedärme.
So 'ne lumpige Brüh, die vollführt einen Lärm und tut akkurat wie der Donner.
Erst halblaut nur: bumbum, bumbum, dann vernehmlicher schon: bubububumbum!
Bis donnernd gerad wie die Wolken zuletzt es herausfährt: bumbubububumbum!

SOKRATES:

Drum sieh: Wenn dein Bäuchlein, winzig und klein, schon so gewaltig herausfarzt,
Wie entsetzlich muss erst im erhabenen Raum rumoren das Rollen des Donners?

STREPSIADES:

Ich verstehe. Drum sind sich auch Donner und Furz so ähnlich im brummenden Tone!
Nun aber der Blitz, wo kommt er denn her, und sein feuriges Leuchten und Zünden,
Der, wenn er uns trifft, uns zu Asche verbrennt und, wenn er nicht tötet, doch rostet:
Den sendet doch Zeus, das ist klar wie der Tag, meineidige Sünder zu strafen?

SOKRATES:

O du antediluvianischer Kauz, o du märchengläubiges Mondkalb!
Meineidige soll er erschlagen? Warum zerschmettert er dann nicht den Simon?,
Den Kleonymos nicht, den Theoros nicht, und was machen sich die aus 'nem Meineid?
Wo schlägt er denn ein? – In sein eigenes Haus auf Sunions heiliger Spitze,
Und in stämmige Eichen – was fällt ihm denn ein? Meineidige Eichen! Man denke!

STREPSIADES:

Weiß nicht! – doch es scheint, was du sagst, das ist wahr. Nur erkläre mir noch, was der Blitz ist.

SOKRATES *auf die Wolken deutend:*

Wenn in diesen ein trockener Wind sich verfängt, der empor in die Lüfte gewirbelt,
Dann schwellt er sie auf wie Blasen, und fest zusammengepresst durch die Spannung,

Zersprengt er sie plötzlich und drängt mit Gewalt sich heraus aus der platzenden Masse,
Und vom Stoß und der heftigen Reibung entflammt, mit Sausen und Zischen verglüht er.

STREPSIADES:
Ei der Tausend! Aufs Haar ganz dasselbe ist mir am Diasienfeste begegnet:
Meine Vetterschaft hatt ich zu Gast und briet eine Magenwurst. Potz, da vergess ich,
Sie zu stechen zur Zeit, und da schwillt sie nun auf, und plötzlich zerplatzt sie und spritzt mir
Gerad in die Augen den ganzen Dreck und verbrennt das Gesicht mir erbärmlich!

CHOR *zu Strepsiades:*
O du Menschensohn, der du trachtest, von uns ausströmende heilige Weisheit
Zu erlernen, wie groß, wie beglückt wirst du, wie berühmt in Athen und in Hellas,
Wenn stark dein Gedächtnis, tiefsinnig dein Geist, für Strapazen und Hunger und Kummer
Unempfindlich, und wenn du nicht müde wirst vom Spazierengehen und Stehen,
Wenn du frierst ohne Murren, wenn ohne Verdruss du ein Frühstück weißt zu entbehren,
Wenn du meidest den Wein und den Turnplatz fliehst und die übrigen Werke der Torheit,
Wenn du allzeit, wie dem verständigen Mann es geziemt, für das Höchste es achtest,
Im Handel und Wandel mit fertiger Zung als Sieger das Feld zu behaupten.

STREPSIADES:
Was das nun betrifft: Starrsinnigen Kopf, bettdeckenumwälzendes Grübeln,

Unverwöhnten, nüchternen Magen dazu, gegen Wasser und Brot nicht rebellisch –
Da sei du nur ruhig, da lass ich auf mir, wenn es sein muss, hämmern und schmieden.

SOKRATES:
Und erkennst du nun auch gleich uns fortan, dass kein anderes göttliches Wesen
Existiert denn allein diese heiligen drei: das Chaos, die Wolken, die Zunge?

STREPSIADES:
Mit den andern verlier ich, und wenn sie mir auch auf der Straße begegnen, kein Wörtchen,
Noch werd ich an sie Speisopfer und Trank und Weihrauchkörner verschwenden.

CHOR:
So rede getrost: Was verlangst du von uns? Wir werden dich sicher erhören,
Da du Ehr uns gern und Bewundrung zollst und bemüht bist, weise zu werden.

STREPSIADES:
Durchlauchtige Fraun, dann bitt ich euch nur um ein Kleines: Gewahrt mir die Gnade,
Lasst hundert Meilen als Rednergenie mich vor allen in Hellas voraus sein!

CHOR:
Wir gewähren die Bitte; von Stund an soll es nicht einem gelingen, dass öfter
Als du er Gesetzesentwürfe beim Volk durchsetze mit glänzender Mehrheit.

STREPSIADES:
Nach politischer Größe gelüstet mich's nicht, ich befasse mich nicht mit Gesetzen,

Strepsiades strebt für sich selbst nur das Recht zu verdrehn, zu entschlüpfen den Schulden.

CHOR:

Eine Kleinigkeit das! Den bescheidenen Wunsch, wie sollten wir den nicht erfüllen?
Übergib dich getrost nur mit Leib und Seel der Behandlung unserer Priester.

STREPSIADES:

Das tu ich im vollen Vertrauen auf euch, ich muss – denn ich steck in der Klemme,
Ruiniert durch die Füchs und die Rappen, und dann durch die unglückselige Heirat.
Ich gehöre den Herrn mit Leib und Seel,
Was sie wollen, ich tu's und ich trag es ja gern,
Durst, Hunger und Prügel und Hitz und Frost!
Ja, lasst sie das Fell mir vom Leibe ziehn!
Und studier ich mich nur aus den Schulden heraus,
Tituliere mich dann nach Belieben die Welt:
Frech, naseweis, grob, maulfertig, infam,
Unflat, Aufschneider und Lugenschmied,
Rechtsfälscher, mit allen Hunden gehetzt,
Ein corpus iuris, Fuchs, Klapper und Loch,
Scheinheiliger Heuchler, aufdringliche Klett,
Aas, Schwindler, Galgenstrick, Lumpenhund,
Arschleckergesicht –
Mag, wem es beliebt, auf der Gasse mir nach
Diese Titel schreien: nur zugeschimpft!
Meinetwegen, verhackt
Mich zu Würsten, und bei der Demeter, gebt
  Sie den Herrn Philosophen zu fressen!

CHOR:
Nun, das nenn ich einmal herzhaft,
Unerschrocken, rasch entschlossen! –
Sei gewiss:
Lernst du hier fleißig, so ragt an das Himmelsgewölbe
Deines Namens Glorie!

STREPSIADES:
Und was wird dann mit mir?

CHOR:
Die seligsten Tage mit uns,
Beneidet von allen, verlebst du, Hochbeglückter!

STREPSIADES:
Aber werd ich das auch noch wirklich erleben?

CHOR:
Scharenweis werden an deiner Schwelle die Leute sich
Tag für Tag lagern, um sich mit dir zu besprechen,
Dich zu befragen und in Prozessen und Händeln
Um gewaltige Summen, würdig deines Talents,
Sich mit dir zu beraten!
Zu Sokrates: Nimm du ihn jetzt vor, diesen Alten, und gib von dem Unterricht ihm einen Vorschmack;
Jag auf die Gedanken in seinem Kopf, sieh, ob er kapiert, und sondier ihn!

SOKRATES: Nun denn! Sag an, wie ist dein Naturell,
Damit ich weiß, mit welchen neuen Waffen
Ich demgemäß dich anzufassen habe!

STREPSIADES: Was Henkers? Denkst du Sturm auf mich zu laufen?

SOKRATES: Nein! Lass mich vorderhand nur eins dich fragen:
Hast du Gedächtnis?

STREPSIADES: Zweierlei, bei Zeus!
Eins – wenn mir jemand schuldet – sehr verlässlich;

Das andre – schuld ich einem – sehr vergesslich.
SOKRATES: So wirst du doch Geschick zum Reden haben?
STREPSIADES: Zum Reden? Nein! Doch desto mehr zum Rapsen.
SOKRATES: Wie kannst du da studieren?
STREPSIADES: Keine Sorge!
SOKRATES: Nun gut, so pass mal auf: Lass ich was Tiefes,
Was Metaphys'sches fallen, schnapp es auf!
STREPSIADES: Aufschnappen soll ich, wie ein Hund, den Tiefsinn?
SOKRATES: Barbarisch roher Bauer, der du bist,
Du brauchst wohl, fürcht ich, Prügel, alter Kerl!
Was machst du, wenn dich einer schlägt?
STREPSIADES: Ich lasse
Mich schlagen, pass auf Zeugen, und dann fasse
Vor Amt ich ihn und fülle mir die Kasse.
SOKRATES: Komm, leg den Rock ab.
STREPSIADES *ängstlich:* Was verbrach ich denn?
SOKRATES: Nichts! Leichtbekleidet tritt man hier nur ein.
STREPSIADES: Ich kam ja nicht, gestohlnes Gut zu suchen.
SOKRATES: Leg ab, wozu die Possen?
STREPSIADES *legt Oberkleid und Schuhe ab:* Nur noch eins!
Wenn ich recht fleißig bin und eifrig lerne,
Sag, welchem deiner Schüler gleich ich dann?
SOKRATES: Du wirst aufs Haar ein zweiter Chairephon!
STREPSIADES: Um Gottes willen, ein lebend'ger Leichnam!
SOKRATES: Genug der Faxen! Komm und folge mir
Sogleich – nur schnell!
STREPSIADES: So gib mir in die Hand
Doch einen Honigkuchen, denn mir bangt,
Als wenn ich in Trophonios' Höhle stiege.
SOKRATES: Geh zu! Was tappst du um die Tür herum?
Beide hinein.

Parabase

CHOR:
So gehe mit Glück,
wie dein Mut es verdient, dein entschlossener Sinn! –

Heil und Gelingen dem Mann,
Der, so weit er im Alter
Vorgerückt schon, dennoch den Geist
In Studien taucht, jugendlich frisch,
Und seinen Kopf, hart und ergraut,
Gibt in die Zucht des Denkens.

Lasst mich, ihr Athener, einmal euch die Wahrheit sagen frei.
Lautre Wahrheit, beim Dionys, der mich großgezogen hat!
So gewiss ich heute den Preis wünsch als Meister meiner Kunst,
Traun, so wahr ist's, dass ich gebaut nur auf eure Kennerschaft
Und den Wert des komischen Stücks, das ich für mein bestes hielt,
Als ich euch zu kosten es bot, euch zuerst, dies Stück, das mir
Wohl die meiste Mühe gemacht! – Dennoch zog man plumpe Kerls
Unverdienterweise mir vor. – Dieses Unrecht klag ich euch
Weisen Kennern, denen zulieb ich mir all die Mühe gab:
Nicht als gäb ich unter euch selbst die Vernünft'gen treulos auf:
Weiß ich doch, dass Männern wie euch, die man anzureden schon
Glücklich ist, mein »Liederlich und Tugendsam« einst wohlgefiel,
Jenes Erstlingsfrüchtchen – ich war Jungfer noch und heimlich musst

Ich's gebären, mütterlich nahm auf das ausgesetzte Kind
Eine andre, aber ihr selbst wart ihm Vater, Lehrer, Freund.
Seitdem ist mir sicher verbürgt eure Einsicht, eure Gunst.
Gleich Elektra kommt sie denn nun diesmal, die Komödie,
Um zu finden, wenn es ihr glückt, solch erprobte Kennerschar:
Ihres Bruders Locke, wofern sie sie findet, kennt sie wohl.
Seht, wie sie sich züchtig gebart! Vorn herunter, angenäht,
Lässt sie nicht das lederne Ding hängen, baumeln, feuerrot
An der Spitz und fürchterlich dick, schlimmen Buben nur zum Spaß;
Lässt sich nicht an Kahlköpfen aus, hopst im Kordax nicht herum.
Lässt nicht einen Greis seinen Stock deklamierend schwingen auf
Seinen Partner – dass man nicht merk, wie es ihm an Witz gebricht.
Stürmt auch nicht mit Fackeln herein, heult und brüllt nicht Ju, Juhu!
Nein, sich selbst und ihrem Gehalt stolz vertrauend, tritt sie auf
Und obwohl ich weiß, was ich bin, trag ich doch nicht stolzes Haar.
Zwei- und dreimal bring ich euch nie einen Witz und täusch euch nicht,
Bin euch nagelneue Sujets vorzuführen stets bedacht,
Alle voller Keckheit und Witz, keines je dem andern gleich.
Stieß ich nicht den mächtigen Mann Kleon mächtig vor den Bauch?
Doch ich trat, sobald er im Staub lag, nicht mehr auf ihm herum.
Andre, seit Hyperbolos sich einmal eine Blöße gab,
Trampeln auf dem ärmlichen Kerl stets und seiner Mutter rum.

Eupolis vor allen – er schleppt seinen »Marikas« herein:
Schmählich! ein gewendeter Rock! meine »Ritter« dumm verhunzt!
Setzt' hinzu, dem Kordax zulieb, ein versoffnes altes Weib,
Die er stahl dem Phrynichos, wo das Untier sie verschlingt.
Gleich drauf kommt Hermippos und macht auch was auf Hyperbolos.
Auch die andern werfen sofort all sich auf Hyperbolos,
Und mein Gleichnis äffen sie nach: wie man Aale im Trüben fischt. –
Nein, wer solche Stümper belacht, dessen Beifall wünsch ich nicht;
Aber wenn das sinnige Spiel meiner Muse euch Freude macht,
Dann für alle Zeiten erscheint ihr als Männer von Geschmack.

Strophe

Zeus, den Erhabenen, ruf ich zuerst:
Mächt'ger Fürst der Götter, o schau
Gnädig auf unseren Reigen!
Dich auch, Gewalt'ger, der du den Dreizack
Schwingst, und die Erd und das salzige Meer
  Mächtig erschütterst und aufwühlst!
Vater der Menschen, auch dich, den Gepriesenen,
  Himmlischer Äther, Ernährer von allem, was atmet!
Dich auch, Rosselenker, der du
  Rings in leuchtende Gluten die Welt
Tauchst, unter Göttern und Sterblichen
  Hochgefeiert und strahlend!

Gegen das Publikum:
Jetzt, ihr hochwohlweisen Männer, bitten wir euch um Gehör.
Unrecht tut ihr uns: Wir müssen euch verklagen vor euch selbst.
Mehr als alle andern Götter segnen wir doch eure Stadt.
Gleichwohl bringt ihr nie zum Opfer weder Trank noch Speis uns dar,
Uns, die wir euch treu beschirmen: Immer wenn im Unverstand
Ihr beschließet auszurücken, donnern oder regnen wir.
Neulich, als den gottverhassten, paphlagon'schen Gerber ihr
Auserkoren euch zum Führer, runzelten wir gleich die Stirn,
Schnitten grimmige Gesichter, Blitz und Donner sprühten wir,
Und es trat der Mond aus seiner Bahn, die Sonne zog zurück
In sich selbst den Docht der Lampe und erklärt' euch rundheraus,
Dass sie keinen Strahl euch sende, wenn euch Kleon kommandiert.
Dennoch nahmt ihr ihn zum Feldherrn; denn man sagt: Verkehrter Rat
Sei in eurer Stadt zu Hause. Dumme Streiche, die ihr macht,
Werden aber durch der Götter Huld zum Besten stets gekehrt.
Dieser Fall auch kann zum Vorteil sich euch wenden, hört mich an:
Wenn ihr Kleon, den bestochnen Schuft, den überwiesnen Dieb,
An dem Kragen packt und in den Block ihm niederdrückt den Kopf,
Dann, trotz eurer vielen Böcke, wird zurück ins alte Gleis
Alles kehren und zum Besten euch und eurer Stadt gedeihn!

Gegenstrophe

König Apollon, Delier,
Hoch auf dem kynthischen Felsenhorn
Thronend, erschein, o erhör uns! –
Du auch, o Sel'ge, im goldnen Tempel
Prangend zu Ephesos, wo dich verehrt
  Lydischer Jungfraun Andacht! –
Komm, o Beschirmerin unserer Burg und Stadt,
  Pallas Athene, Gewaltige, Ägisbewehrte! –
Du auch, der auf Parnasses Höhn
  Schwärmt und im Kreise der delphischen Fraun
Unter flammenden Fackeln beim Tanz
  Strahlt, o komm, Dionysos!

Gegen das Publikum:
Als wir uns zur Reise fertigmachten, hier zu euch herab,
Gab Selene, die uns eben traf, uns diesen Auftrag mit:
Grüßen lässt sie schön die Bürger und Verbündeten Athens.
Doch sie sei euch ernstlich böse, dass ihr sie so schlecht belohnt,
Sie, die so reelle Dienste augenscheinlich euch erwies,
Und an Fackeln schon euch jeden Monat eine Drachme spart:
Wenn die Leut am Abend ausgehn, sagen sie zum Sklaven: »Bursch,
Fackeln brauchst du nicht zu kaufen, heut ist prächt'ger Mondenschein!« –
Andrer Dienste zu geschweigen! Dennoch habt auf ihre Tag
Ihr nicht pünktlich acht und werft sie durcheinander kunterbunt.
Darum lesen ihr die Götter ein Kapitel jedes Mal,
Wenn sie, nach der alten Rechnung zahlend, kommen und kein Fest

Treffen und, um Schmaus und Opfer schnöd geprellt, nach Hause gehn:
Denn am Tage, wo ihr opfern solltet, richtet, foltert ihr;
Wenn wir Götter aber einen Fasttag haben, etwa wenn
Wir um Memnon trauern oder um Sarpedon, opfert ihr
Wein und lacht und scherzt. – Drum haben wir auch dem Hyperbolos,
Der Amphiktyonenbote heuer war, vom Haupt den Kranz,
Wir, die Göttinnen, gerissen: Merken soll er sich's fortan,
Dass man seine Lebenstage nach dem Mondlauf ordnen soll!

SOKRATES *tritt ärgerlich aus dem Hause:*
Beim Atem schwör ich's, bei der Luft, beim Chaos!
Nein, solchen Tölpel sah ich doch noch nie,
So bäurisch, linkisch, so stupid vergesslich,
Der nicht die kleinste Tüftelei kapiert
Und, kaum gelernt, vergisst! Ich will's einmal
Mit ihm probieren hier in freier Luft! –
Ruft hinein: Strepsiades, komm raus mit deinem Faulbett!
STREPSIADES *innen:* Ich bring's vor lauter Wanzen nicht vom Fleck!
SOKRATES: Nur hurtig!
Strepsiades kommt mit dem Faulbett heraus.
Stell's da hin, pass auf!
STREPSIADES: Da steht's!
SOKRATES: So! Willst du jetzt was lernen, das für dich
Ganz nagelneu? Und was zuerst? Die Lehre
Vom Wort, vom Rhythmus, den verschiednen Maßen?
STREPSIADES: Die Maße, bitt ich! Um zwei Mäßchen hat
Mich kürzlich erst geprellt ein Mehlverkäufer.
SOKRATES *unwillig:* Ich frag dich, welches Maß dir mehr gefällt:
Das mit drei Füßen oder das mit vier?

STREPSIADES: Potz Welt! Hat denn bei euch ein Fruchtmaß Füße?
SOKRATES: Du schwatzt verkehrtes Zeug!
STREPSIADES: Da frag ich jeden,
Ob ihm ein Maß mit Füßen vorgekommen?
SOKRATES: Zum Henker! Wie stupid, wie ochsendumm! –
Vielleicht dass du vom Rhythmus was begreifst?
STREPSIADES: Rhythmus? Verschafft mir der mein täglich Brot?
SOKRATES: Das kommt dir in Gesellschaft wohl zustatten:
Da hörst du, wenn man musiziert, doch gleich.
Ob's wohl enhoplisch, ob's daktylisch ist.
STREPSIADES: Den Daktylos? Bei Zeus, den kenn ich.
SOKRATES *seinen Finger hochhaltend:* Nun?
Was tritt an Stelle dieses Daktylos?
STREPSIADES *auf seinen Phallos zeigend:* Vormals, in meiner Jugend, dieser Pendel.
SOKRATES: Wie plump und albern!
STREPSIADES: Aber nein, du Narr!
Dergleichen wünsch ich nicht zu lernen.
SOKRATES: So?!
Was denn?
STREPSIADES: Die Kunst, die Unrecht macht zum Recht.
SOKRATES: Du musst zuvor noch manches andre lernen:
Vierfüßge Tiere nenne mir, die männlich!
STREPSIADES: Wer das nicht wüsste, wär ein Esel! Männlich
Sind Widder, Stier und Bock und Hund und Spatz.
SOKRATES: Siehst du? so geht's: das Weibchen nennst du Spatz,
Und dann das Männchen wieder ebenso.
STREPSIADES: Und dann?
SOKRATES: Bedenk nur einmal, Spatz und – Spatz!
STREPSIADES: Wahr, beim Poseidon! Nun, wie muss ich sagen?
SOKRATES: Spatz heißt das Männchen, Spätzin heißt das Weibchen.

STREPSIADES: Hem, Spätzin also! Bei der Luft, recht hübsch!
Da muss ich wohl für diese Lehre schon
Dir bis zum Rand mit Mehl den Backtrog füllen.
SOKRATES: Ein neuer Bock! Der Backtrog sagst du, männlich?
Das muss ja weiblich enden!
STREPSIADES: Ei, wieso?
Die Endung weiblich?
SOKRATES: Wie Kleonymos
Sollt enden!
STREPSIADES: Nun, wo will denn das hinaus?
SOKRATES: Dein Backtrog, sieh, geht nach Kleonymos.
STREPSIADES: Der ging ja dem Kleonymos grad ab!
Drum knetet er sein Mehl im runden Mörser. –
Allein im Ernst, wie muss ich sagen?
SOKRATES: Wie?
Backtrögin! wie du sagst: die Demagögin.
STREPSIADES: Backtrögin? Sonderbar!
SOKRATES: Das einzig Richt'ge!
STREPSIADES: Backtrögin also und Kleonymin?
SOKRATES: Nun ist's noch nötig, dass von Eigennamen
Du lernst, was männlich und was weiblich ist.
STREPSIADES: Was weiblich ist, das kenn ich gut.
SOKRATES: Zum Beispiel?
STREPSIADES: Lysilla, Philinna, Kleitagora, Demetria.
SOKRATES: Und Männernamen?
STREPSIADES: Weiß ich dir die Meng!
Philoxenos, Milesias, Amynias.
SOKRATES: Dummkopf! Die sind nichts weniger als männlich!
STREPSIADES: Die sind bei euch nicht männlich?
SOKRATES: Nein; wie sagst
Du denn, wenn du Amynias begrüßt?
STREPSIADES: Amynia, grüß dich Gott, Amynia!

SOKRATES: Nun sieh; Amynia sagst du, als wär er
Ein Weib!
STREPSIADES: ’s ist wahr! Er zieht auch nicht zu Feld!
Allein du lehrst mich da, was jeder weiß.
SOKRATES *auf das Faulbett zeigend:* Tut nichts! Da setz dich hin!
STREPSIADES: Was soll ich tun?
SOKRATES: Denk deinen Handel philosophisch durch!
STREPSIADES: Nur dort nicht, möcht ich bitten! Muss es sein,
Kann ich die Sach am Boden auch durchdenken.
SOKRATES: Nein, ’s geht nicht anders! Setz dich!
STREPSIADES *setzt sich:* Weh und Jammer!
So muss ich heut der Wanzen Opfer werden?!
Sokrates geht gravitätisch auf und ab, Strepsiades philosophiert.

Strophe

CHOR:
Jetzt, Freund, studier und spekulier,
Nimm deinen Kopf und deine
Fünf Sinne zusammen; behend, wenn du je dich
Verwickelst, spring auf einen
Andern Gedanken ab; und der labende
Schlaf bleibe fern deinem Augenlid!

STREPSIADES *vom Faulbett auffahrend:*
Au au au, au au au!
CHOR:
Was heulst du? Was ist dir?
STREPSIADES:
Ich bin des Tods! Da beißt ein Trupp Korinthier,
Die aus dem Bett gekrochen, mich zuschanden.

Im Klagegesang:
Und sie zwacken das Fleisch an den Rippen mir ab,
Uhuhuh, und sie zapfen die Seele mir ab,
Und sie zwicken, Gott straf mich, die Hoden mir ab,
Und sie bohren sich ein in den Steiß – und hinab
Muss ich ins Grab!

CHOR:
Ei, so jammre doch nicht so überlaut!

STREPSIADES:
Nicht jammern? – Und doch,
Was ich hatt, ist dahin, meine Börse, mein Teint,
Meine Seel ist dahin, meine Schuhe dahin,
Und zu all der Not muss ich Armer mich noch
Wachsingen, bis dass
Auch dahin mein erlöschendes Leben!

SOKRATES *geht auf ihn zu:* He, du, was machst du? Spekulierst du?

STREPSIADES: Ich?
Ja, beim Poseidon!

SOKRATES: Nun, worüber denn?

STREPSIADES: Ob mir am Leib ein Stück die Wanzen lassen!

SOKRATES: Verdammter Kerl!

STREPSIADES: Verdammt? Das bin ich schon!

SOKRATES: Nicht so empfindlich! Wickle dich brav ein,
Besinn dich jetzt auf eine Wolfsidee,
Auf einen guten Griff! *Geht wieder auf und ab.*

STREPSIADES: Mein Gott, wie sollen
Mir auf dem Schafpelz Wolfsideen kommen? *Sitzt eine Weile vertieft.*

SOKRATES: Ich muss doch sehen, was der Gimpel macht! *Rüttelt ihn.*
Du, Alter, schläfst du?

STREPSIADES: Beim Apollon, nein!
SOKRATES: Und? Hast du was?
STREPSIADES: Nicht das Geringste!
SOKRATES: Nichts?
STREPSIADES: Nichts – als in meiner rechten Hand mein Ding da.
SOKRATES *streng:* Einwickeln sollst du dich und meditieren!
STREPSIADES: Worüber? Gib ein Thema, Sokrates!
SOKRATES: Durchdenke, was du willst, und sag mir's dann!
STREPSIADES: Ja, was ich will, das hab ich tausendmal
Dir schon gesagt: die Gläubiger will ich prellen.
SOKRATES: Gut! Wickle dich brav ein, nimm deine Sinne
Zusammen, haarscharf denk der Sache nach,
Recht kritisch, logisch und exakt!
STREPSIADES *sich kratzend:* Au weh!
SOKRATES: Sei ruhig! Und verwirrt dich ein Gedanke,
Dann lass ihn fahren! Später lenkst du wieder
Den Geist darauf und wiegst ihn hin und her.
STREPSIADES: Ha, liebster Sokrates!
SOKRATES: Was hast du, Alter?
STREPSIADES: Ich hab 'nen guten Zinsentilgungseinfall!
SOKRATES: Lass hören!
STREPSIADES: Sag, wie wär's, wenn ich 'ne Hexe
Mir in Thessalien holt für Geld und nachts
Den Mond herunterziehen ließ' und ihn
In eine runde Spiegelkapsel packte
Und fest verschlossen in Gewahrsam hielte?
SOKRATES: Was soll dir das denn nützen?
STREPSIADES: Was? Wenn nirgends
Der Mond mehr aufging' in der Welt, da braucht ich
Auch keine Zinsen mehr zu zahlen.
SOKRATES: Wie?
STREPSIADES: Nun, weil man monatlich das Geld verzinst.

SOKRATES: Nicht übel! – Nun ein zweites Probestück!
Wenn man auf fünf Talente dich verklagte,
Wie schafftest du den Handel dir vom Hals?
STREPSIADES *windet und dreht sich:*
Wie? – Wie? – Das weiß ich nicht – die Frag ist ernst!
SOKRATES: Dreh nicht so eingeschrumpft dich um dich selbst,
Lass die Gedanken in die Lüfte fliegen,
Wie Maienkäfer, an dem Fuß den Faden!
STREPSIADES: Ich weiß ein Mittel wider diese Klage,
Ganz schlau, das wirst du selbst gestehen!
SOKRATES: Welches?
STREPSIADES: Hast du in Krämerbuden je ein Glas
Gesehn – du weißt, durchsichtig, schön und hell,
Womit man Feuer macht?
SOKRATES: Du meinst ein Brennglas?
STREPSIADES: Das mein ich.
SOKRATES: Nun, was soll dir das?
STREPSIADES: Wie wär's,
Wenn vor Gericht ich in die Sonne träte,
Und dann dem Schreiber unterm Griffel weg
Das Wachs der Klagschrift gegen mich zerschmölze?
SOKRATES: Schön, bei den Grazien!
STREPSIADES: Ei, wie gut ist's doch,
Dass ich die Fünftalentenklag beseitigt!
SOKRATES: Jetzt mach dich noch an etwas, schnell!
STREPSIADES: An was?
SOKRATES: Wie wehrst du dich, wenn dir ein Kläger zusetzt
Und du, weil ohne Zeugen, siehst, du musst
Verlieren?
STREPSIADES: Lumpge Kleinigkeit!
SOKRATES: Wieso?
STREPSIADES: Nun – während der Verhandlung, just bevor
Mein Handel käme, ging und henkt ich mich.

SOKRATES: Dummheit!
STREPSIADES: Bei allen Göttern, nein! Wenn ich
Gestorben bin, wer will mich da verklagen?
SOKRATES: Unsinn! Geh fort! Den Schüler hab ich satt!
STREPSIADES: Warum denn aber, liebster Sokrates?
SOKRATES: Drum! Du vergisst ja alles, kaum gelernt!
Sag doch: was hab ich dich zuerst gelehrt?
STREPSIADES: Lass sehn: was war das Erste doch – das Erste?
Wie hieß das Ding, worin man Brotteig knetete –
Ach Gott, was war's doch?
SOKRATES: Geh zu allen Teufeln,
Vergesslich dummer, alter Eselskopf!
STREPSIADES: Um Gottes willen, ach, wie wird mir's gehn?
Werd ich kein Rabulist, bin ich verloren!
Zum Chor: Ihr Wolken, hört: gebt ihr mir guten Rat!
CHOR: Der Rat, den wir dir geben, Alter, ist:
Schick deinen Sohn her, wenn du einen hast
Im rechten Alter, um für dich zu lernen!
STREPSIADES: Den hab ich – ist ein hübscher, wackrer Junge:
Nur lernen will er nichts! – Wie wird mir's gehn?
CHOR: Das duldest du?
STREPSIADES: Er ist voll Kraft und Mark,
Aus Koisyras hochfliegendem Geschlecht! –
Gut denn! Ich will ihn holen! – Will er nicht,
Dann ist's vorbei: Ich werf ihn aus dem Haus!
Zu Sokrates: Du, geh indes hinein und wart ein bisschen. *Ab.*

Gegenstrophe

CHOR *zu Sokrates:*
Nun siehst du wohl, welchen Gewinn du
Uns, vor allen Göttern,
Uns hast zu danken? bereit ist der Mann
Zu vollbringen, was du immer forderst.

Du siehst, wie angeschossen, wie gläubig erhitzt
Er auf Wunder sich spitzt?

Fass ihn und saug ohne Verzug gründlich ihn aus!
Doch schnell! Denn so ein Fang kann dir leicht irgendwie entschlüpfen.
Sokrates ab ins Haus.

STREPSIADES *kommt mit seinem Sohn:*
Beim Nebel, länger füttr' ich dich nicht mehr!
Geh hin, nag an den Säulen des Megakles!
PHEIDIPPIDES: Wie wunderlich! Was hast du denn, mein Vater?
Dir fehlt's im Kopfe, beim olymp'schen Zeus!
STREPSIADES *lachend:* »Olymp'scher Zeus!« Hör einer diesen Narren:
So groß, so alt – und glaubt noch an den Zeus!
PHEIDIPPIDES: Was lachst du denn?
STREPSIADES: Ich seh, du bist ein Kind
Und hast den Kopf voll alter Ammenmärchen.
So komm mal her; ich putze dir ihn aus,
Damit du endlich mir erwachsen wirst.
Doch – hörst du? – aus der Schule schwatz mir nicht!
PHEIDIPPIDES: Fang an!
STREPSIADES: Du schwurst da eben doch bei Zeus;
PHEIDIPPIDES: Das tat ich.
STREPSIADES: Siehst du nun den Wert des Lernens?
Pheidippides! Es existiert kein Zeus!
PHEIDIPPIDES: Wer denn?
STREPSIADES: Der Wirbel, der ihn abgesetzt.
PHEIDIPPIDES: Pah, Faselei!
STREPSIADES: So ist's einmal, nicht anders!
PHEIDIPPIDES: Wer sagt das?

STREPSIADES: Sokrates, der Melier,
Und Chairephon, der Flohfußgeometer.
PHEIDIPPIDES: Steckst du so tief schon in der Narrheit, dass
Du so verbrannten Köpfen glaubst?
STREPSIADES: Halt ein!
Verleumde nicht die weisen, braven Männer,
Von denen keiner – rein aus Sparsamkeit –
Sich je den Kopf rasiert, gesalbt, noch je
Ein Bad besucht, um sich zu waschen! – Du
Verbadest mir mein Geld, als wär ich tot! –
Jetzt geh nur und studiere dort für mich!
PHEIDIPPIDES: Was kann ich denn von denen Gutes lernen?
STREPSIADES: Was? – Alle Weisheit, die's auf Erden gibt!
Da wirst du sehn, wie roh, wie dumm du bist!
Doch wart ein bisschen hier! Ich komme gleich! *Ab.*
PHEIDIPPIDES *für sich:* Was fang ich an? Mein Vater ist verrückt!
Soll ich vorm Amt als Narren ihn verklagen?
Soll ich beim Schreiner ihm den Sarg bestellen?
STREPSIADES *kommt zurück mit zwei Spatzen:*
Sieh her, was ist das? Sag nur deine Ansicht!
PHEIDIPPIDES: Ein Spatz!
STREPSIADES: Getroffen! Aber diese da?
PHEIDIPPIDES: Ein Spatz!
STREPSIADES *lachend:* Wie albern! Beides Spatzen, he? –
In Zukunft drück dich besser aus! Da sieh:
Das ist ein Spatz und dies da eine Spätzin!
PHEIDIPPIDES: Was; Spätzin? – Gingst du darum nur zur Schule,
Um bei den Himmelsstürmern dies zu lernen?
STREPSIADES: O sonst noch viel! Nur hat mein alter Kopf
Auch gleich vergessen wieder, was ich lernte.
PHEIDIPPIDES: Drum kam dir wohl dein Mantel auch abhanden!
STREPSIADES: Abhanden? – Verstudiert nur hab ich ihn.
PHEIDIPPIDES: Und deine Schuh – wo sind sie, kind'scher Alter?

STREPSIADES: »Zum Nötigen verwandt« – wie Perikles! –
Geh, lauf jetzt! Vorwärts! Mach auch deinem Vater
Zulieb 'nen dummen Streich einmal! – Ich tat
Dir's auch zulieb – du lalltest noch, sechs Jahr alt –,
Als für den ersten Richtersold ich dir
Ein Wägelchen kaufte zum Diasienfest!
Geht auf die Philosophenklause zu.
PHEIDIPPIDES *folgt ihm zögernd:* Sieh zu, du wirst es mit der
Zeit bereuen!
STREPSIADES: Schön, dass du folgst! *An der Türe:*
He, Sokrates, komm raus!
Da bring ich meinen Sohn; er hat sich lang
Genug gesträubt!
SOKRATES *tritt heraus:* Gelbschnabel, der er ist!
Nach der Hängematte zeigend:
Noch ungewohnt ist ihm das luft'ge Schweben.
PHEIDIPPIDES: Geh, henk dich! So gewöhnst du dich ans
Schweben.
STREPSIADES: Was Teufels! Unserm Lehrer so zu fluchen?
SOKRATES *zu Strepsiades:* »Henk dich!« – Da sieh, wie dumm,
wie kindisch er
Zu diesem Wort das Maul verzieht und dehnt!
Der lernt es nie, wie man Prozess' einfädelt,
Ausficht und übern Haufen schwatzt die Richter.
Doch – für viel Geld lernt's selbst Hyperbolos,
STREPSIADES: Nimm in die Lehr ihn doch: er hat Talent!
Als kleines Bübchen baut' er schon daheim
Sich Häuschen, schnitzte Schiffchen, macht' aus Leder
Sich Ross und Wagen, und aus Äpfelschalen
Recht art'ge Frösche, ja, du kannst mir's glauben! –
Dass er mir nur die beiden Künste lernt,
Die gute, was sie sei, und auch die schlechte;
Auf jeden Fall die schlechte und das gründlich!

SOKRATES: Die soll er von den Reden selbst jetzt lernen!
Ich werde gehn!
STREPSIADES *zu Sokrates, der hineingeht:* Sei nur besorgt, dass er
Allem Gerechten widersprechen lernt!

CHORLIED fehlt.

Zwei Redner treten auf; der eine schlicht und altmodisch gekleidet, die gerechte Rede verkörpernd: Anwalt der guten Sache; der andere reich und neumodisch gekleidet, Verkörperung der ungerechten Rede: Anwalt der schlechten Sache. Strepsiades und Pheidippides hören zu.

ANWALT DER GUTEN SACHE:
Nur heraus, und lass vor dem Publikum hier
Dich sehn, wie du bist, du kecker Gesell!
ANWALT DER SCHLECHTEN SACHE:
»Geh hin deine Bahn nur immer!« – Je mehr
Zuschauer uns sehn, umso voller mein Sieg!
ANWALT DER GUTEN SACHE:
Dein Sieg? Und wer bist du?
ANWALT DER SCHLECHTEN SACHE: Der Anwalt –
ANWALT DER GUTEN SACHE: Der Schmach!
ANWALT DER SCHLECHTEN SACHE:
Doch schlage ich dich, wenn auch stärker als ich
Du dich anmaßt zu sein!
ANWALT DER GUTEN SACHE: Und wie fängst du das an?
ANWALT DER SCHLECHTEN SACHE:
Mit den neuen Ideen, die mir stehn zu Gebot.
ANWALT DER GUTEN SACHE:
Die florieren jetzt prächtig,

(auf die Zuschauer deutend:) dank diesen hier,
Dem verbildeten Volk –

ANWALT DER SCHLECHTEN SACHE:
Dem gebildeten Volk!

ANWALT DER GUTEN SACHE:
Ich vernichte dich doch!

ANWALT DER SCHLECHTEN SACHE:
Bin begierig nur, wie!

ANWALT DER GUTEN SACHE:
Mit den Waffen des Rechts!

ANWALT DER SCHLECHTEN SACHE:
Die parier ich und werf in den Sand dich sogleich,
Denn ich sage: das Recht ist ein Unding, ein Nichts!

ANWALT DER GUTEN SACHE:
Ein Nichts?

ANWALT DER SCHLECHTEN SACHE:
Existiert es, so sage doch: wo?

ANWALT DER GUTEN SACHE:
Bei den Himmlischen dort!

ANWALT DER SCHLECHTEN SACHE:
Wenn es dort ist, warum, ist es längst nicht um Zeus,
Der in Fesseln doch schlug seinen Vater, geschehn?

ANWALT DER GUTEN SACHE:
Hilf Himmel! Das wird mir zu arg, und es kehrt
Sich der Magen mir um, o ich bitt: ein Geschirr!

ANWALT DES SCHLECHTEN SACHE:
Du altväter'scher Kauz! Du vernagelter Kopf!

ANWALT DER GUTEN SACHE:
Du neumod'sches Schwein! Du verhurter Gesell!

ANWALT DER SCHLECHTEN SACHE:
Wie du Rosen nur streust! –

ANWALT DER GUTEN SACHE:
Du Schmarotzer, du Hund!

ANWALT DER SCHLECHTEN SACHE:
Mich mit Lilien bekränzt!
ANWALT DER GUTEN SACHE:
O du Dieb, du Bandit!
ANWALT DER SCHLECHTEN SACHE:
Und du merkst es noch nicht, wie in Gold du mich fasst?
ANWALT DER GUTEN SACHE:
Und du hältst es für Gold – das verächtliche Blei?
ANWALT DER SCHLECHTEN SACHE:
Ich wüsste für mich keinen köstlichern Schmuck!
ANWALT DER GUTEN SACHE:
Ha, wie trotzig, wie frech!
ANWALT DER SCHLECHTEN SACHE:
Wie veraltet, wie platt!
ANWALT DER GUTEN SACHE:
Deine Schuld ist's allein,
Dass kein Bube mehr jetzt in die Schule will gehn!
Doch erkennen wird bald das athenische Volk,
Welch verderbliches Zeug die Betrognen du lehrst!
ANWALT DER SCHLECHTEN SACHE:
Du verfaulst ja im Schmutz!
ANWALT DER GUTEN SACHE:
Um so schmucker bist du!
Wohl gab's eine Zeit, wo du betteln gingst
Und dem Mysier Telephos selbst dich verglichst,
Und Sentenzen fraßt
Von Pandeletos, frisch aus dem Bettelsack raus –
ANWALT DER SCHLECHTEN SACHE:
Tiefsinniger Fund –
ANWALT DER GUTEN SACHE:
Wahnsinniger Schund –
ANWALT DER SCHLECHTEN SACHE:
– den du eben getan!

ANWALT DER GUTEN SACHE:

– den du predigst der Stadt,
Die den Dienst dir bezahlt,
Dass die Jugend des Volks du zum Laster verführst!

ANWALT DER SCHLECHTEN SACHE *auf Pheidippides weisend:*
Unterricht ihn doch du, griesgrämiger Zopf!

ANWALT DER GUTEN SACHE:
Gern, wenn er zum Guten geführt werden soll
Und nicht dressiert zu faulem Geschwätz!

ANWALT DER SCHLECHTEN SACHE *Pheidippides die Hand entgegenstreckend:*
Komm, Lieber, zu mir, lass ihn rasen, den Narrn!

ANWALT DER GUTEN SACHE *drohend:*
Probier es und rühr ihn nur an mit der Hand!

CHOR: Lasst endlich den Zank und das Keifen und Schmähn,
Und entwickelt einmal, *(zum Guten:)* du, was du seit je
Die Leute gelehrt, *(zum Schlechten:)* du das neue System
Der Erziehung, damit, wenn er beide gehört,
Er den Meister sich wählt, der ihn bilden soll.

ANWALT DER GUTEN SACHE:
Ich versteh mich dazu!

ANWALT DER SCHLECHTEN SACHE:
Ohne Widerspruch, ja!

CHOR: Wer nimmt nun zuerst von euch beiden das Wort?

ANWALT DER SCHLECHTEN SACHE:
Das gönn ich ihm gern!
Er verhaue sich nur mit Geschwätz! Ich beschieß
Ihn mit neuen Sentenzen, mit neuen Ideen,
Bis ein Hagel von Pfeilen zu Boden ihn streckt;
Und wenn er zuletzt nur zu mucksen noch wagt,
Dann zerstechen ihm Augen und Backen und Maul
Meine stachligen Reden, ein Wespenschwarm,
Der ihn zwickt, bis er völlig kaputt ist!

Agon

Strophe

CHOR:

Nun werden sie, voller Vertraun
Auf ihr Geschick im Reden,
Der Reflexionen Argument,
Die schlagenden Sentenzen,
Uns zeigen hier, wer von den
Zwein wird Sieger im Rededuell.
Kunst und Geschick
Gilt hier allein, jetzt oder nie!
Das ist der Kampf, für den
Sich nun meine Freunde rüsten.

Wohlan denn du, der die Väter geschmückt mit dem Kranz untadliger Sitte,
Lass ergehen dein Wort, wie dein Herz es erfreut, und erkläre dein Dichten und Trachten!

ANWALT DER GUTEN SACHE:

So verkünd ich euch denn, wie vor alters es stand um die Zucht und die Bildung der Knaben,
Als ich in der Blüt, als Vertreter des Rechts, und die Sittsamkeit erstes Gesetz war.
Da durfte den Knaben kein trotziger Laut, kein störrisches Mucksen entfahren,
Da kamen im Schwarm sie die Straßen daher nach der Singschul, all in der Ordnung,
Aus jeder Gemeinde, nur spärlich bedeckt, und wenn es auch Roggenmehl schneite!
Nicht übereinandergeschlagen die Bein', anständig saßen und lernten

Sie ihr: »Pallas, die Städteverwüsterin«, oder: »Horch, was ertönt aus der Ferne?«
In gehaltenem Ton, in gemessenem Takt, wie die Väter von jeher es sangen.
Und wenn einer aus Eitelkeit Sprünge versucht' und die Lieder mit Schnörkeln verhunzte,
Wie es jetzo der Brauch, in des Phrynis Manier, mit verkünstelten Koloraturen,
Dann regnet' es Schlag auf den Sünder, der frech an den heiligen Musen gefrevelt! –
Und im Ringhof dann, wenn sie saßen, zu ruhn auf dem Sande, da mussten sie züchtig
Vorbeugen das Bein, um Unziemliches nicht den Umstehenden draußen zu zeigen.
Und erhoben sie sich, so verwischten sie stets in dem Sande die Spuren mit Vorsicht,
Dass die blühenden Formen nicht, abgedrückt, unreine Begierden erweckten.
Da salbte sich über den Nabel hinab kein Knabe, drum blüht' ihm auch wollig
Und weich um die Scham das gekräuselte Haar, wie der Flaum auf dem reifenden Pfirsich.
An die Männer drängte der Knabe sich nicht mit zärtlichem Girren und Flüstern
Und begehrlichen Blicken, schmachtlappig und frech, an den Buhler sich selber verkuppelnd.
Bei Tische stand es dem Knaben nicht zu, nach den Rettichköpfchen zu greifen
Und erwachsenen Leuten hinweg vor dem Mund Salat und Gemüse zu schnappen,
Und Backwerk, Fische, Geflügel; ihm war es verpönt, zu verschränken die Beine.

ANWALT DER SCHLECHTEN SACHE:

Altvätrisches Zeug! Altfränkischer Brauch! Urmode der goldnen Zikaden!
Verklungne Musik! Buphonienzeit!

ANWALT DER GUTEN SACHE:

Ja freilich! Doch war es dieselbe,
Wo erzogen durch mich das Heroengeschlecht der Marathonkämpfer heranwuchs!
Du aber verzärtelst die Jugend von heut und vermummst sie in Windeln und Kleider,
Dass ich oft fast ersticke, beim Waffentanz an den Panathenäen zu schauen,
Wie sich einer den Schild vor das Schamglied hält – ein Greuel der Tritogeneia! –
Wohlan denn, vertraue mir, Jüngling, und nimm mich zum Lehrer, den Anwalt des Guten,
Dann gewöhnst du dich, stets zu verachten den Markt und die Bäder, die warmen, zu meiden.
Dich dessen zu schämen, was schandbar ist, zu erglühn, wenn darob sie dich necken,
Und vom Sitze dich schnell zu erheben, sobald sich ein würdiger Alter dir nähert.
Deine Eltern kränkst du durch Unart nie und bestehst in jeder Versuchung,
Weil für heilige Pflicht du es achtest, ein Bild der Scham aus dir selber zu schaffen.
Nie wirst du vors Haus einer Tänzerin ziehn und, vom Dirnchen mit Äpfeln beworfen,
Als Mädchenjäger, der läuft in der Brunst, deinen ehrlichen Namen verlieren.
Nie wirst du den Vater beleidigen, nie ihn Japetos schelten, noch grollend

Ihm die Streiche gedenken, die einst du empfingst, da du saßest im Nest wie ein Küchlein!

ANWALT DER SCHLECHTEN SACHE:

Ich sage dir, Junge, vertraust du dich dem, dann macht er dich, beim Dionysos,
Zu ’nem Bübchen, Hippokrates’ Püppchen gleich, und man wird dich ein Mutterkind schelten.

ANWALT DER GUTEN SACHE:

Nein! Blühend und strotzend in Jugendkraft auf dem Turnplatz wirst du dich tummeln,
Kein verschrobener Schwätzer und Witzling des Markts, nach der Weise der heutigen Jugend,
Kein Zänker, der stets vor den Richtern sich balgt in Lausbagatellenprozessen;
Lustwandeln wirst du im friedlichen Hain Akademos’, im Schatten des Ölbaums,
Mit schimmerndem Laube die Stirne bekränzt, an der Seite des sittsamen Freundes,
Von Eiben umduftet in müßiger Ruh und den silbernen Blättern der Pappel,
In der Wonne des Lenzes, wenn flüsternd leis zu der Ulme sich neigt die Platane!
Wenn du also wirst tun, wie mein Wort es dich lehrt,
Wenn du eifrig es hörst und zu Herzen es nimmst,
Dann wird dir zum Lohn eine kräftige Brust,
Ein blühend Gesicht, breitschultriger Wuchs,
Und die Zunge hübsch kurz, und ein mächtig Gesäß,
Und ein mäßig Gemächt!
Doch wenn du es treibst nach der Mode von heut,
Dann wird dein Gesicht bleichsüchtig und gelb,
Deine Schultern gedrückt und schmächtig die Brust,
Deine Zunge wird lang, weit offen dein Maul,
Und groß dein Gemächt und klein dein Gesäß!

Auf den Anwalt der schlechten Sache deutend:
Der redet dir ein,
Dass das Schöne gerade das Hässliche sei
Und das Hässliche schön;
Und am Ende beschmutzt er dir Leib und Seel
  Mit Antimachos' säuischer Wollust!

Gegenstrophe

CHOR:
O Hüter du strahlenden Horts
  Züchtiger, ernster Weisheit,
Welch tugendlich lieblichen Duft
  Haucht deiner Rede Blüte!
Glückselig warn doch alle Menschen,
  Die in frühern Zeiten gelebt!
Rüste dich nun, prunkender Kunst
  Meister, du musst jetzt
Etwas Neues bieten, denn
  Der hat sich bewährt als Redner.

Mit Gründen stark und trotzig musst du ihm entgegentreten,
Willst du ihn schlagen und nicht selbst ein Spott der Leute werden.

ANWALT DER SCHLECHTEN SACHE:
Längst drückt es mich und kocht in mir, ich brenne vor Verlangen,
Mit Gegenreden sein Geschwätz ihm in den Staub zu treten.
Welch Schmach für meinen Namen, den die Denker mir gegeben,
Handhabt ich kräftig nicht die Kunst, die ich zuerst erfunden,
Dem Recht und den Gesetzen stets schnurstracks zu widersprechen!
Das heißt etwas, mit Tonnen Golds ist das nicht aufzuwiegen,

Im Dienst der schlechten Sache doch zuletzt mit Glanz zu siegen!
Zu Pheidippides: Gib acht, wie ich die Zucht, auf die er pocht, zuschanden mache!
Er sagt, vor allem müssest du die warmen Bäder meiden:
Zum Anwalt der guten Sache: Was ist der Grund, warum du ihm verbeutst die warmen Bäder?

ANWALT DER GUTEN SACHE:
Weil sie, verderblich durch und durch, aus Männern Memmen machen.

ANWALT DER SCHLECHTEN SACHE:
Halt! Sieh, da hab ich dich am Schopf! Du kannst mir nicht entrinnen!
Ich frage dich: wen hältst du für den tapfersten der Söhne
Des Zeus? Und wer bestand mit Ruhm die meisten Abenteuer?

ANWALT DER GUTEN SACHE:
Ich denke: Herakles war doch der tapferste von allen!

ANWALT DER SCHLECHTEN SACHE *triumphierend:*
Wo sahst du je, dass Herakles ein kaltes Bad genommen?
Und doch, wer war so stark wie er?

ANWALT DER GUTEN SACHE:
Ja, solch Geschwätz ist's eben,
Das überfüllt die Bäder, das entvölkert die Palästra!

ANWALT DER SCHLECHTEN SACHE:
Dann tadelst du das Leben auf dem Markt: Ich muss es loben;
Denn wär's nicht gut, so hätte doch Homer wohl nicht den Nestor
Als Redner auf dem Markt gerühmt noch andre kluge Männer.
Und nun die Zungenfertigkeit – er meint, der Jüngling brauche
Sich nicht darin zu üben: Dass er's muss, ist meine Meinung.
Dann, sagt er, sittsam muss er sein: o Unsinn über Unsinn!

Hast du gesehn, dass je ein Mensch mit Sittsamkeit was Gutes
Gewonnen! Sprich und halte mir ein Beispiel nur entgegen!

ANWALT DER GUTEN SACHE:
Nur eins statt vieler! Peleus hat durch sie ein Schwert gewonnen!

ANWALT DER SCHLECHTEN SACHE:
Ein Schwert? Ein herrliches Geschenk für ihn, den Mann des Jammers!
Talente hat Hyperbolos, der Lampenhändler, hundert
Mit seiner Schlechtigkeit verdient, allein ein Schwert? – mitnichten!

ANWALT DER GUTEN SACHE:
Der Thetis Hand erhielt allein durch seine Tugend Peleus.

ANWALT DER SCHLECHTEN SACHE:
Der Thetis, die im Stich ihn ließ, weil er sich schlecht gehalten
Im Bett und aufgelegt nicht war, die ganze Nacht zu schäkern,
Denn brav gedrillt sein will ein Weib: Du bist ein alter Klepper!
Zu Pheidippides: Du siehst, mein Junge, was du hast von Sittsamkeit und Tugend,
Wie viele Lebensfreuden du entbehren musst: die Knaben,
Die Weiber, Schmaus und Becherspiel und Wein und Spaß und Lachen;
Und ohne diese Freuden, sag, was hat man noch vom Leben?
So ist's! – Dann kommt der Triebe Macht, die die Natur uns schenkte:
Du liebst – vergisst dich – und der Mann ertappt dich in flagranti,
Du bist verloren, denn dir fehlt die Suada! Sei mein Jünger,
Folg deinen Trieben, spring und lach und halte nichts für Sünde!
Und trifft der Mann bei seiner Frau dich an, so sag ihm einfach,
Du seist dir keiner Schuld bewusst, er soll an Zeus nur denken,

Der selbst der Lieb und schönen Fraun nicht widerstehen konnte:
Wie solltest du, der Sterbliche, mehr als der Gott vermögen?

ANWALT DER GUTEN SACHE:
Ist ihm zur Strafe dann der Arsch gekeilt und abgesengelt,
Mit welchen Gründen wird er dann dartun, er sei kein Klaffarsch?

ANWALT DER SCHLECHTEN SACHE:
Ist er ein Klaffarsch – ei, was schadet's ihm?

ANWALT DER GUTEN SACHE:
Gibt's denn ein größres Unglück noch für ihn?

ANWALT DER SCHLECHTEN SACHE:
Du! – wenn ich jetzt dich ad absurdum führe –?

ANWALT DER GUTEN SACHE:
Ja, dann verstumm ich!

ANWALT DER SCHLECHTEN SACHE:
Nun, so sage mir!
Was sind die Advokaten denn?

ANWALT DER GUTEN SACHE:
Klaffärsche!

ANWALT DER SCHLECHTEN SACHE: Recht! das mein ich auch!
Und dann: was sind die Tragiker?

ANWALT DER GUTEN SACHE:
Klaffärsche!

ANWALT DER SCHLECHTEN SACHE: Wieder gut bemerkt!
Die Demagogen aber, he?

ANWALT DER GUTEN SACHE:
Klaffärsche!

ANWALT DER SCHLECHTEN SACHE: Wird dir's endlich klar,
Dass du ins Blau hinein geschwatzt? –
Sieh unterm Publikum dich um,
Was siehst du rundherum?

ANWALT DER GUTEN SACHE: Ich seh –

ANWALT DER SCHLECHTEN SACHE:
Was siehst du, sprich?
ANWALT DER GUTEN SACHE:
Weitaus die meisten – großer Gott!
Klaffärsche sind's! Ich kenne sie,
Nach einzelnen Zuschauern deutend:
Hier einer, da ein zweiter, dort
Der Lockenkopf und der – und der! –
ANWALT DER SCHLECHTEN SACHE:
Was sagst du nun?
ANWALT DER GUTEN SACHE *ins Publikum rufend:*
Ihr geilen Böcke jung und alt,
Ich bin besiegt! Den Mantel hier
Fangt auf! Ich geh
In euer Lager über!
Wirft sein Oberkleid dem Ungerechten zu und läuft in die Denkerei.

ANWALT DER SCHLECHTEN SACHE: Wie nun? Gedenkst du deinen Sohn zurückzunehmen, oder soll ich jetzt ihn lehren?
STREPSIADES: Ja, lehr ihn, halt ihn scharf und stutz ihn zu,
Zweischneidig muss sein Mund sein wie ein Schwert,
Die eine Schneide nur für Lumpenhändel,
Die andre scharf für Kapitalprozesse.
ANWALT DER SCHLECHTEN SACHE:
Wart nur! Er wird ein tüchtiger Sophist!
PHEIDIPPIDES: O freilich, so ein blasser, armer Schlucker!

Zweite Parabase

CHOR: Geht hin!

Der Anwalt der schlechten Sache mit Pheidippides ab in Sokrates' Haus.

Zu Strepsiades, während er in sein Haus geht:

Ich fürchte nur; du wirst's bitter einst bereuen!

An die Zuschauer:

Was die Richter profitieren, wenn sie unserm Chor sein Recht
Heute widerfahren lassen, das eröffnen wir euch jetzt.
Nämlich: Wenn ihr euer Brachfeld pflügen wollt zur Frühlingszeit,
Sollt zuerst ihr Regen haben, und die andern hintennach.
Eure Saaten, eure Reben nehmen wir in unsre Hut,
Dass sie nicht durch Dürre leiden noch durch lange Regenzeit.
Doch will einer uns nicht ehren, er, ein Mensch, uns Göttinnen,
Mag er wohl erwägen, welche Strafen unser Zorn ihm droht!
Weder Wein noch andre Früchte tragen wird ihm dann sein Gut;
Fängt der Ölbaum an zu knospen, setzt der Rebstock Augen an,
Schlagen wir sie ihm mit Hagel, mächt'ge Schleudern schwingen wir.
Sehen wir sein Dach ihn decken, regnen und zertrümmern wir
Ihm mit eiergroßen Schloßen alle Ziegel auf dem Haus.
Wenn er oder einer seiner Freund' und Vettern Hochzeit macht.
Soll's die ganze Nacht durch regnen, dass er lieber wünscht', er wär
In Ägypten heut gewesen als so dumm beim Urteilsspruch!

STREPSIADES *kommt mit einem Mehlsack auf dem Rücken:*

Noch fünf, dann vier, dann drei, dann nur noch zwei,
Und dann der Tag der Schrecken, den ich mehr

Als alle fürcht und hasse, der verfluchte,
Dann ist er da, o weh, der Alt und Neue.
Da kommen denn die Gläub'ger, hinterlegen
Die Sporteln, drohn und schwören, mich vom Hof
Zu jagen, taub für all mein Flehn und Bitten:
»Nimm, Bester, nicht mein Letztes! Gib Termin!
Erlass mir das!« – Was hilft's, sie sagen: »Nein!
Wir wollen unser Geld, sonst geht's zum Teufel!«
Ich sei ein Lump, Betrüger! Kurz, sie klagen. –
Doch meinetwegen klagt! Das schiert mich wenig,
Wenn nur Pheidippides brav reden lernt!
Muss doch einmal an die Butike klopfen
Und sehn, wie's geht. *Klopft:* Heda!

SOKRATES *kommt heraus:* Strepsiades,
Willkommen!
STREPSIADES: Dank! Da nimm den Sack einmal! *Stellt den Mehlsack ab.*
Muss doch dem Lehrer mich erkenntlich zeigen!
Was macht er denn, mein Sohn? Kapiert er? Kann er
Die neue Kunst, die du erfunden hast?
SOKRATES: Er kann sie.
STREPSIADES: Dank dir, Göttin Schelmerei!
SOKRATES: Lass klagen, wer da will! Er haut dich raus!
STREPSIADES: Auch wenn der Gläub'ger Zeugen hat?
SOKRATES: Nur um
So besser, und wenn's tausend Zeugen wären!
STREPSIADES *triumphierend singend und tanzend:*
»Juchheißa! laut jubilier ich, überlaut!«
Heil mir! Io! Und ihr, Pfennigfuchser, heult!
Ihr selbst und Kapital und Zinseszins!
Versucht es jetzt und spielt mir einen Streich!
Hab ich da innen im Haus

Doch einen trefflichen Sohn,
Zweischneidig blitzt seine Zunge!
Mein Hort, mein Retter, meiner Feinde Schrecken,
Erlöser, der von schweren Lasten mich befreit!
Zu Sokrates:
Ruf ihn heraus geschwind! Lauf, lauf, ich muss ihn sehn!
Sokrates geht hinein.
So komm, o mein Kind, mein Sohn, her zu mir!
O hör deinen Vater!
SOKRATES *kommt mit Pheidippides heraus:*
Da hast du den Mann!
STREPSIADES *ihn umarmend:*
Teurer Sohn! Teurer Sohn!
SOKRATES: Nimm hin ihn und geh! *Geht wieder hinein.*
STREPSIADES: Juchhe, juchhe, mein Sohn! Juchhe, juchheirassa!
Das ist ’ne Freude! Wie gelehrt du aussiehst!
Aus deinen Augen blitzt der Widerspruch,
Das Leugnen und das Übliche: »Was schwatzt du?«
Zuckt um den Mund dir, und der Ernst, womit
Man sich beleidigt stellt, hat man beleidigt.
Das kenn ich: Echt athenisch ist dein Blick!
Einst mein Ruin, jetzt sei mein Retter, Sohn!
PHEIDIPPIDES: Was fürchtest du?
STREPSIADES: Ach, Sohn, den Alt und Neuen!
PHEIDIPPIDES: Was soll denn das? Der alt und neue Tag?
STREPSIADES: Der Tag, wo sie die Sporteln hinterlegen –
PHEIDIPPIDES: Und ihre Hinterlag auch schön verlieren:
Denn ein Tag ist doch nicht zugleich auch zwei.
STREPSIADES: Wie; wirklich nicht?
PHEIDIPPIDES: Sowenig als dieselbe
Person ein Mädchen und ein altes Weib.
STREPSIADES: So heißt’s doch im Gesetz?

PHEIDIPPIDES: Sie deuten's falsch:
So ist es nicht gemeint.
STREPSIADES: Wie ändern denn?
PHEIDIPPIDES: Der alte Solon war ein Mann des Volks!
STREPSIADES: Was geht denn das den Alt und Neuen an?
PHEIDIPPIDES: Zu Vorladungen setzt' er fest zwei Tage,
Den Alt und Neuen, dass die Klage dann
Mit Hinterlag erfolgen kann am Neumond.
STREPSIADES: Was soll denn dann der Alte noch?
PHEIDIPPIDES: Wie dumm!
Damit der Angeklagte tags zuvor
Erscheinen und sich lösen kann; wo nicht,
Geht man am Neumond morgens ihm zu Leib.
STREPSIADES: Wie kommt's, dass das Gericht die Hinterlage
Am Alt und Neuen, nicht am Neumond fordert?
PHEIDIPPIDES: Vorschmecker-Brauch – gerade wie beim Opfern:
Die Hinterlage, die sie wegzuschnappen
Gedenken, kosten sie schon tags zuvor.
STREPSIADES *gegen die Zuschauer:* Wie sitzt ihr da so dumm, ihr armen Narren,
Ein Fraß für uns, die Klugen! Steine ihr!
Ihr Schöpse, Klotze, Nullen, leere Kacheln!
Wir Glücklichen! Ich darf auf meinen Sohn
Und mich wahrhaftig wohl ein Loblied singen.
Singt: »Heil dir, heil, Strepsiades!
Wie klug und weise du selbst!
Und welchen Sohn du besitzt!«
So preisen bald die Freunde und
Die Nachbarn mich,
Voll Neid, wenn deine Redekunst im Prozess siegreich ist.
Komm jetzt nach Haus mit mir, ich will festlich dich bewirten!
Beide ab in Strepsiades' Haus.

PASIAS, *ein wohlbeleibter Kapitalist, geht in Begleitung eines Zeugen auf Strepsiades' Haus zu:*
Was? Soll man da sein eignes Geld verlieren?
Das wäre schön! – Ich hätte freilich klüger
Ihn rundweg abgewiesen, statt mich jetzt
Mit ihm herumzuschlagen! – Jetzo muss
Ich dich bemühn als Zeugen und verfeinde
Mich obendrein mit einem alten Nachbarn.
Doch streng wahr ich die Ehre unsrer Stadt,
Drum lad ich dich Strepsiades –
STREPSIADES *tritt heraus:* Wer ruft?
PASIAS: – Vor auf den Alt und Neuen!
STREPSIADES *zum Chor:* Ihr seid Zeugen:
Zwei Tage sagt er, hört ihr?
Zu Pasias: Was betrifft's?
PASIAS: Zwölf Minen, die du, wie du weißt, empfingst,
Als du den Goldfuchs kauftest –
STREPSIADES: Ich! ein Ross?
Zum Chor: Hört ihr? Ihr wisst, wie ich das Rösseln hasse!
PASIAS: Beim Zeus! Du schwurst, mich redlich zu bezahlen.
STREPSIADES: Beim Zeus! Denn damals kannte ja mein Sohn
Die Kunst, die stets den Sieg erringt, noch nicht!
PASIAS: Und deshalb leugnest du die Schuld mir ab?
STREPSIADES: Was hätt ich sonst vom Studium meines Sohns?
PASIAS: Schwörst du mir sie auch bei den Göttern ab,
Wenn ich zum Eid dich treib?
STREPSIADES: Bei welchen Göttern?
PASIAS: Bei Zeus, Poseidon, Hermes!
STREPSIADES: Ja, bei Zeus,
Drei Obolen drauf noch, wenn ich schwören darf!
PASIAS: Ha, unverschämt! Das sollst du mir entgelten!
STREPSIADES *auf Pasias' Bauch zeigend:* Brav durchgelaugt,
gäb der 'nen hübschen Schlauch –

PASIAS: So? Auch noch Hohn?
STREPSIADES: – der seinen Eimer fasst!
PASIAS: Beim großen Zeus und allen Göttern, das
Geht dir nicht hin!
STREPSIADES: Wie spaßhaft: »Götter!« und
»Bei Zeus!« – Da lacht ein Wissender sich krank!
PASIAS: Das wirst du bitter büßen, warte nur!
Jetzt sag mir: willst du zahlen oder nicht?
Damit ich fortkomm!
STREPSIADES: Wart ein bisschen! Gleich
Will ich dir klar und bündig Antwort geben. *Läuft ins Haus.*
PASIAS *zu dem Zeugen:*
Was, meinst du, wird er tun? Wird er wohl zahlen?
STREPSIADES *kommt mit einer Mulde:* Wo ist der Mensch, der
Geld von mir verlangt?
Du, was ist das?
PASIAS: Was das ist? Nun, ein Backtrog.
STREPSIADES: Und du willst Geld von mir, du Ignorant?
Nicht einen Heller geb ich einem Mann,
Der Backtrog mir anstatt Backtrögin sagt!
PASIAS: Also, du zahlst mich –
STREPSIADES: Nicht, soviel ich weiß!
Drum mach dich auf die Bein, und schere dich
Vor meiner Türe weg!
PASIAS: So wahr ich leb,
Ich geh und hinterlege die Gebühren!
STREPSIADES: Und die sind hin, so gut wie die zwölf Minen!
Zwar tut mir's leid, denn Einfalt war's doch nur,
Statt die Backtrögin der Backtrog zu sagen!
Pasias mit dem Zeugen ab. Ebenfalls mit einem Zeugen kommt Amynias, humpelnd und bandagiert:
AMYNIAS *in tragischem Ton:* O weh! o weh!

STREPSIADES: Ha!
Wer heult da so erbärmlich? Ist's vielleicht
Ein Gott aus des Karkinos Jammerstücken?
AMYNIAS: Ihr fragt mich, wer ich bin? – Ach Gott, ein Mann
Des Unglücks!
STREPSIADES: So? Dann bleib für dich allein!
AMYNIAS: »O hartes, wagenradzertrümmerndes
Geschick! O Pallas, so verließt du mich?«
STREPSIADES: Was tat Tlepolemos dir denn zuleide!
AMYNIAS: Hör du! Anstatt zu spotten, mache du,
Dass endlich mir dein Sohn mein Geld bezahlt.
Zumal ich eben selbst im Unglück bin!
STREPSIADES: Was denn für Geld?
AMYNIAS: Das er von mir geborgt.
STREPSIADES: Da ist dir's, scheint mir, wirklich schlecht gegangen.
AMYNIAS: Weiß Gott! Beim Wagenrennen fiel ich runter. –
STREPSIADES: Drum faselst du, wie auf den Kopf gefallen.
AMYNIAS: Ich fasle – so? – wenn ich mein Geld verlange?
STREPSIADES: Gewiss! Du bist bedenklich krank.
AMYNIAS: Wieso?
STREPSIADES: Ich glaub, ein Erdstoß hat dein Hirn lädiert.
AMYNIAS: Und ich, beim Hermes, glaub, du wirst zitiert,
Wenn du mich nicht bezahlst!
STREPSIADES: Du, sage mir:
Was meinst du: Schickt uns Zeus wohl jedes Mal,
Wenn's regnet, frisches Wasser, oder zieht
Das gleiche Wasser immer rauf die Sonne?
AMYNIAS: Das weiß ich nicht, das ist mir einerlei.
STREPSIADES: Du glaubst, du hast das Recht, mir Geld zu fordern,
Und weißt kein Wort von überird'schen Dingen?
AMYNIAS: Nun, bist du nicht bei Geld, so zahlt mir doch
Den Zins!

STREPSIADES: Den Zins? Was ist das für ein Tier?
AMYNIAS: Ein silbern Ding, das im Verlauf der Zeit
Stets größer wird und wächst von Tag zu Tag,
Von Mond zu Mond.
STREPSIADES: Nicht übel definiert!
Nun weiter! Glaubst du, dass das Meer zurzeit
Viel größer ist als sonst?
AMYNIAS: Das bleibt sich gleich;
Ich seh nicht ein, warum es wachsen sollte.
STREPSIADES: Das also wächst trotz aller Ströme, die
Sich drein ergießen, nicht, und du, Verrückter,
Du willst, dein Geld soll wachsen mit der Zeit?
Willst du dich packen, auf der Stelle, he;
Zu seinem Sklaven: Bring mir die Peitsche!
Der Sklave gibt ihm eine Peitsche. Strepsiades schlägt Amynias.
AMYNIAS *zum Chor:* Ihr seid alle Zeugen!
STREPSIADES: Hott! Willst du traben, Schimmel? Hott, hott, hott!
AMYNIAS: Ha, schändliche Misshandlung!
STREPSIADES: Wart, ich steche
Dich unterm Schwanz, du Klepper! Willst du ausziehn?
Amynias entflieht.
Ha, läufst du? Gut! Sonst hätt ich dich mobil
Gemacht samt deinem Fuhrwerk, Sitz und Deichsel!
Ab ins Haus.

Strophe

CHOR:
Das heißt denn doch die bübische Lust zu weit
Getrieben! Der Alte
Ist nun darauf erpicht, das Geld
Zu unterschlagen, das er lieh!

Es kann nicht fehlen, ihm passiert
Unversehns noch heute was,
Wo der schurkische Sophist,
Für seine Bubenstückchen all,
Wie er's verdient, belohnt wird!

Gegenstrophe

Ich denk, ihm wird nur allzu bald der Wunsch
Erfüllt, der ihn plagte:
In seinem Sohn den Mann zu sehn,
Der stets mit Gegengründen weiß
Das Recht zu beugen, der gewandt
Jeden Gegner, den er trifft,
Bei dem schlechtsten Handel schlägt.
Gib acht, gib acht! Er gäb was drum,
Sein Söhnchen wäre taubstumm!

STREPSIADES *aus dem Hause stürzend, hinter ihm drein sein Sohn, der nach ihm schlägt:* Au, au!
Ihr Nachbarn, Freunde, Vettern, steht mir bei!
Helft! helft mir, wie ihr könnt! Er prügelt mich!
Mein Kopf! Ach, meine Backen! – O du Scheusal,
Du prügelst deinen Vater?
PHEIDIPPIDES: Ja, mein Vater!
STREPSIADES *zum Chor:* Seht, er gesteht's, dass er mich schlug!
PHEIDIPPIDES: Warum nicht?
STREPSIADES: Spitzbube, Straßenräuber, Vatermörder!
PHEIDIPPIDES: Ich bitte, noch einmal und derber noch!
Du glaubst es nicht, wie mich dein Schimpfen freut!
STREPSIADES: Schandbube!
PHEIDIPPIDES: Streu mir doch noch mehr der Rosen!
STREPSIADES: Du prügelst deinen Vater?

PHEIDIPPIDES: Und mit Recht!
Das will ich dir beweisen!
STREPSIADES: Was, du Unmensch?
Recht soll es sein, wenn man den Vater prügelt?
PHEIDIPPIDES: Ich werd's beweisen. Meine Kunst wird siegen.
STREPSIADES: Das willst du mir beweisen?
PHEIDIPPIDES: Ohne Müh!
Nach welcher Kunst, das kannst du selbst bestimmen.
STREPSIADES: Nach welcher –?
PHEIDIPPIDES: Nach der guten oder schlechten?
STREPSIADES: So? Hab ich darum dich studieren lassen
Die Kunst, dem Recht zu widersprechen, um
Mir weiszumachen, dass mit Fug und Recht
Der Vater von dem Sohne Prügel kriegt?
PHEIDIPPIDES: So gründlich hoff ich dich zu überzeugen,
Dass du, du selbst, mir nichts entgegenhältst.
STREPSIADES: Nun, auf die Rede bin ich doch begierig!

Agon

Strophe

CHOR:
Jetzt, Alter, ist's an dir, zu überlegen, wie
Du ihn überwältigst.
Denn wär er seiner Sache nicht gewiss, er wär
Doch nicht so vermessen!
Er weiß, worauf er pocht! So zuversichtlich spricht
Nur, wer sich gedeckt weiß!

Wie hat sich aber zwischen euch denn dieser Zank entsponnen?
Das muss der Chor doch wissen: drum erzähl es unverhohlen!

STREPSIADES:

So hört denn, was die Ursach war, dass wir in Streit gerieten:
Wir schmausten eben, wie ihr wisst, die Tafel war vorüber,
Da fordert ich ihn auf, ein Lied zur Leier mir zu singen,
Das von Simonides, ihr kennt's: »Der Widder war geschoren!«
Da fuhr er auf: Altmodisch sei das Leiern und das Singen
Beim Trinken – wie die Weiher, wenn sie dürre Gerste mahlen.

PHEIDIPPIDES:

Hast du nicht Tritt und Prügel schon verdient, indem du singen
Mich hießt bei Tisch, als hättest du Zikaden zu bewirten?

STREPSIADES:

Ja, ja, so sprach er, auf ein Haar ganz ebenso, schon drinnen,
Und der Simonides – kurzweg, der sei ein schlechter Dichter!
Kaum hielt ich mich, doch wollt ich nicht gleich anfangs mich ereifern
Und bat ihn: Nimm ein Myrtenreis zur Hand und rezitiere
Mir etwas aus dem Aischylos! – »Was?«, fuhr er auf und sagte:
»Für mich ist Aischylos am meisten unter den Poeten
Pausbäckig, klaffend, ungeschlacht, hart, schwülstig, aufgedunsen.«
Nun denkt euch, wie vor Ingrimm mir das Herz im Leibe pochte!
Gleichwohl verbiss ich meinen Zorn und sagte: »Lass mich lieber
Was hören von den Neueren, was geistreich Elegantes!«
Da sprach er aus Euripides die Stelle, wo der Bruder –
Gott helf uns! – seiner Mutter Kind, die eigne Schwester, schändet.
Jetzt hielt ich mich nicht mehr und riss ihn fürchterlich herunter,
Und schimpft ihn aus und schalt ihn derb: Da gab nun, wie gebräuchlich
Ein Wort das andre, bis zuletzt er aufsprang, fest mich packte,
Zu Boden warf und trat und schlug und fast zu Tod mich würgte!

PHEIDIPPIDES:
Mit Recht, da du Euripides, den weisesten der Dichter,
Nicht lobtest!
STREPSIADES: Was? Den weisesten? O du – wie soll ich sagen?
Das setzt nur wieder Prügel!
PHEIDIPPIDES: Ja, bei Zeus, und wohlverdiente!
STREPSIADES:
So, wohlverdient? Du frecher Bub! Hab ich dich nicht erzogen
Und immer gleich erraten, was du lallend sagen wolltest?
Und schriest du »bäh!«, da lief ich gleich und brachte dir zu trinken.
Und sagtest du »pap, pap!«, da rannt ich fort, den Brei zu holen.
Kaum hattest du »äh! äh!« gesagt, da nahm ich dich und setzte
Dich vor die Tür und hielt dich – – ha! und jetzt, du Bube, würgst du
Mich also? Und so laut ich rief
Und schrie, ich müsse kacken, trugst
Du doch mich nicht, verruchter Sohn,
Zur Tür hinaus; gewürgt, gedrückt.
Musst drinnen ich's verrichten!

Gegenstrophe

CHOR:
Ha, voll Erwartung hüpft jetzt wohl den jungen Herrn
Das Herz, was der Sohn spricht!
Denn wenn nach dem, was er getan, es ihm gelingt,
Sich sauber zu waschen,
Wer wird dann noch 'ne taube Nuss für euer Fell
Euch geben, ihr Alten?

Wohlan! jetzt gilt's, Verfechter du der neuen Art zu reden,
Die Sache zu beleuchten so, als wärst du ganz im Rechte.

PHEIDIPPIDES:
Wohl ist's ein Glück, vertraut zu sein mit dem System des Tages,
Und hoch herabzusehen auf den Quark der alten Sitte:
Solang ich die Gedanken nur auf Ross und Wagen lenkte,
Vermocht ich ohne Anstoß nicht drei Worte vorzubringen.
Seit mich mein Vater selbst von all den Possen abgezogen,
Und ich mir Dialektik und Rhetorik angeeignet,
Da zeig ich klar: Der Sohn hat recht, der seinen Vater prügelt!

STREPSIADES:
Ach, rössle doch, soviel du willst! Ich füttre dir ja lieber
Vier teure Gäul, als dass, o Greul, ich voller Beulen heule!

PHEIDIPPIDES:
Ich komme wieder auf den Satz, wo du mich unterbrochen,
Und frage dich vor allem: Hast du mich als Kind geschlagen?

STREPSIADES:
Nun ja, aus Lieb und Sorge nur für dich!

PHEIDIPPIDES: Aha! Nun sage:
Ist's da nicht billig, dass auch ich dir meine Liebe zeige
Und prügle dich, da offenbar dies Lieben heißt: das Prügeln?
Warum soll deine Haut allein gesichert sein vor Prügeln,
Die meine nicht? Ich bin doch auch, bei Gott, ein Freigeborner!
»Die Kinder sollen heulen, doch der Vater nicht?« Weswegen?
Du sagst vielleicht, das sei einmal der Brauch so bei den Kindern?
Gut, sag ich dann, die Alten sind bekanntlich zweimal Kinder,
Und zweimal mehr verdienen sie drum Prügel als die Jungen,
Da ihre Schuld auch größer ist, wenn sie sich doch vergehen.

STREPSIADES:
Nein, das verbeut in aller Welt doch das Gesetz den Kindern!

PHEIDIPPIDES:

Hat denn nicht aber dies Gesetz ursprünglich vorgeschlagen
Ein Mensch, wie du und ich, und dann es durchgesetzt mit Gründen?
Darf ich dann nicht auch ein Gesetz uns für die Zukunft schaffen,
Ein neues, dem gemäß die Schläg heimzahlt der Sohn dem Vater?
Die Prügel, die wir kriegten, eh noch dies Gesetz erlassen,
Die schenken wir euch überdies als längst verjährte Schulden. –
Sieh doch einmal die Hähne an und andre solche Tiere,
Die schenken ihren Vätern nichts: Und doch – was unterscheidet
Sie denn von uns, als dass sie nicht Beschlüsse schriftlich fassen?

STREPSIADES:

Ei, wenn in allem du es doch nachmachen willst den Hähnen,
Scharr doch dein Futter aus dem Mist, und schlaf auf einer Stange!

PHEIDIPPIDES:

Das ist ein andres, Freund, das ließ' auch Sokrates wohl bleiben!

STREPSIADES:

So lass auch du das Schlagen sein, sonst wirst du's noch bereuen!

PHEIDIPPIDES:

Wieso?

STREPSIADES:

Wie ich berechtigt bin, dich abzustrafen, also
Auch du, wenn dir geboren wird ein Sohn –

PHEIDIPPIDES: Und wird mir keiner,
Dann hab ich ganz umsonst geheult, du – lachtest noch im Tode!

STREPSIADES *gegen die Zuschauer:*
Ihr Herren meines Alters, mir scheint er hier recht zu haben:
Einräumen, denk ich, muss man doch, was billig ist, den Jungen?
Tun wir, was wir nicht sollten, dann gebührt auch uns die Rute!

PHEIDIPPIDES:
Noch einen Satz! Merk auf!

STREPSIADES: Ich muss, sonst geht es mir ans Leben!

PHEIDIPPIDES:
Nein, leichter tröstest du danach dich über deine Schläge.

STREPSIADES:
Was meinst du? Welcher Vorteil soll mir noch daraus erwachsen?

PHEIDIPPIDES:
Die Mutter prügl' ich ebenso wie dich!

STREPSIADES: Wie, was? Was sagst du?
Noch einen ärgern Frevel!

PHEIDIPPIDES: Wie? Und wenn ich nun als Anwalt
Der schlechten Sach erhärten kann,
Pflicht sei's, die Mutter durchzubleun?

STREPSIADES:
Vermagst du das, dann bleibt dir nichts
Mehr übrig, als vom Felsen dich
Zu stürzen ins Verbrecherloch
Mit Sokrates
Und deiner schlechten Sache!

Zum Chor: Und das verdank ich alles euch, ihr Wolken,
Auf die ich leider all mein Sach gestellt!
CHOR: An allem bist du selber schuld! Warum
Hast du aufs Schlechte deinen Sinn gestellt?
STREPSIADES: Warum habt ihr mir das nicht gleich gesagt?
Warum mich alten Esel noch gestachelt?
CHOR: Das tun wir immer, wenn wir einen sehn,
Der blind dem Trieb zu bösen Werken folgt,
Bis wir ihn endlich ins Verderben stürzen,
Auf dass der Tor die Götter fürchten lerne.
STREPSIADES: Weh, weh mir! Hart, ihr Wolken, doch gerecht!
Warum versucht ich meine Gläubiger
Zu prellen um ihr Geld? *Zu Pheidippides:* Jetzt komm, mein Sohn,
Komm! – Nieder mit dem Chairephon, dem Schurken,
Und Sokrates, die mich und dich betrogen!
PHEIDIPPIDES: Nein, meinen Lehrern tu ich nichts zuleide!
STREPSIADES: Doch! Fürchte Zeus, den väterlichen Gott!
PHEIDIPPIDES *ironisch:* Nun hört mir: »Zeus!« – Altvätrisches Gewäsch!
Ist denn ein Zeus?
STREPSIADES: Er ist!
PHEIDIPPIDES: Er kann nicht sein!
Der Wirbel herrscht, der hat ihn abgesetzt.
STREPSIADES: Nicht abgesetzt! – Ich freilich glaubte das,
Nur wegen dieses Wirbels. O ich Narr,
Der dich, ’nen Topf aus Ton, als Gott betrachtet!
PHEIDIPPIDES: Schwatz Unsinn mit dir selbst, verrückter Alter!
Ab.
STREPSIADES: Verrückt, das war ich, toll genug, die Götter
Dem Sokrates zulieb hinauszuwerfen!

Exodos

Vor die Hermessäule tretend: Ach, lieber Hermes, zürne mir nicht drob,
Vernichte mich nicht ganz, vergib mir, dass
Durch das Geschwätz ich mich betören ließ!
O rate mir: Soll ich sie vor Gericht
Belangen? Oder wie? Was meinst du sonst?
Legt sein Ohr an den Hermeskopf: Hast recht! Wozu Prozess' anzetteln? Lieber
Steck ich den Rabulisten überm Kopf
Das Haus an! *Ruft in sein Haus hinein:* Holla! Heda, Xanthias!
Komm raus, und bring nur Leiter, Axt und Hacke,
Und steig hinauf dort auf die Denkerei!
Hau, wenn du deinen Herren liebst, das Dach
Zusammen, dass die Balken sie zerschmettern!
Der Sklave steigt hinauf und fängt an einzureißen.
Und du: *Zu einem zweiten Sklaven:*
Bring mir 'ne Fackel, aber brennend!
Der Sklave tut es.
Sarkastisch: Da findet heut noch einer seine Strafe
Durch mich. Die aufgeblasenen Scharlatane!
Strepsiades steigt auch hinauf und hält die Fackel ans Haus. Man sieht Rauch aufsteigen.

EIN SCHOLAR *im Innern:* Au weh, au weh!

STREPSIADES *die Fackel schwingend:* Ha, Fackel, halt dich gut und speie Flammen!

SCHOLAR: Mensch, was beginnst du?

STREPSIADES: Was ich mach? Ich löse
Doch nur den Dachstuhl dialektisch auf!

ZWEITER SCHOLAR *im Innern:* Wer steckt das Haus uns überm Kopf in Brand?

STREPSIADES: Der Mann, dem ihr den Mantel abgenommen!

ZWEITER SCHOLAR: Mordbrenner!

STREPSIADES: Ja, das möcht ich eben werden.
Wenn diese Axt nicht meine Hoffnung täuscht
Und ich nicht runterstürz und brech den Hals.

SOKRATES *von innen:* Was machst du denn da oben auf dem Dach?

STREPSIADES *ironisch feierlich:* »In Lüften schweb und Helios überseh ich!«

SOKRATES *herausspringend:* Entsetzlich, weh mir Armen! Ich ersticke!

ZWEITER SCHOLAR *ebenfalls herausspringend:*
Und ich Unseliger verbrenne gar!

STREPSIADES *heruntersteigend:* Recht so! Wer hieß euch auch der Götter spotten,
Und nach Selenes Heimlichkeiten spähn?
Zum Sklaven, der ebenfalls heruntersteigt:
Schlag zu und hau und schmettre drein! Du weißt,
Zehnfach verdienen sie's, die Atheisten!
Der Sklave schlägt nach den davonlaufenden Scholaren und Sokrates. Die Philosophenklause steht in Flammen.

CHOR:
Nun ziehet hinaus: denn wir haben uns heut gehörig im Reigen geschwungen!

Alle ab.

Die Vögel

Der Nikias-Friede, für Athen durchaus vorteilhafter als für Sparta, erwies sich als wenig dauerhaft, da es den Spartanern unmöglich war, wesentliche Bedingungen gegen die Interessen ihrer Verbündeten zu erfüllen. Athen erstand in Alkibiades ein junger, sehr befähigter Politiker, der jedoch seinen persönlichen Ehrgeiz über das Staatsinteresse stellte; ihn trifft an der Aushöhlung des Friedens und dem Wiederbeginn der offenen Feindseligkeiten, an denen Athen zunächst indirekt, dann aber auch durch eigenen Angriff auf spartanisches Gebiet beteiligt war, nicht die alleinige, aber bedeutende Schuld. Vor allem aber war er der Initiator der großen Sizilischen Expedition, die mit der Ausfahrt der gewaltigen Armada im Sommer 415 v. Chr. begann und mit der Vernichtung der gesamten Streitmacht (und dem Tod der Feldherren Nikias, Demosthenes und Lamachos) im Herbst 413 endete. Ja, als er von diesem Kommando noch 415 abberufen wurde, um in Begleitung des Staatsschiffs »Salaminia« nach Athen gebracht zu werden, gelang es ihm, nach Sparta zu entkommen und von dort aus nunmehr gegen sein Vaterland zu arbeiten. So wird er für die zweite Hälfte des Krieges der böse Geist Athens.

Aristophanes hat, wie auch andere Komödiendichter, Alkibiades verhöhnt (in zwei verlorenen Stücken), aber anscheinend weniger seine Politik als sein skandalöses Privatleben; in den *Vögeln* fällt nicht einmal sein Name. Diese Komödie ist im Unterschied zu den fünf uns erhaltenen früheren Stücken von größerer Allgemeinheit und nur indirekt mit dem Zeitgeschehen verbunden. Es fehlt durchaus nicht an Spott auf Zeitgenossen und athenische Einrichtungen, und die Annahme, dass sich eine Beschränkung der Komödienfreiheit (von 415) auf unser Stück auswirke, trifft kaum den Kern der Dinge. Aber die Tatsache, dass auf die Verstümmlung der Hermes-Säulen vor dem

Sizilien-Unternehmen, die Ursache für Alkibiades' Abberufung, überhaupt nicht und auf die dadurch in Gang gekommene Prozesswelle und die große Expedition nur in verschleierter Form angespielt wird, zeigt uns in den *Vögeln* einen ganz anderen Entwurf als bei den früheren, an aktuelle Ereignisse und wichtige Persönlichkeiten geknüpften Komödien.

Zwei Athener suchen einen Ort, an dem sie in Ruhe leben können, was zu Hause nicht mehr möglich ist. Der Wiedehopf als weitgereister Vogel soll ihnen raten; er schlägt ihnen, da verschiedene irdische Orte keinen Beifall finden, schließlich ein Leben bei den Vögeln vor. Der »Ratefreund« Peithetairos rät daraufhin, die unsteten Vögel sesshaft zu machen, und es gelingt ihm nach einigen Schwierigkeiten, die angriffslustigen Vögel für seinen Plan zu gewinnen: Eine Vogelstadt, halben Wegs zwischen Himmel und Erde, soll Menschen und Götter beherrschen. Ja, die Vögel waren noch vor den Göttern und den später regierenden Häusern im Besitz der Weltherrschaft: Sie gilt es wiederzugewinnen. Nach der Parabase, die hier ebenfalls einen anderen Charakter als in den früheren Stücken trägt, verleiht Peithetairos der neuen Stadt den Namen »Wolkenkuckucksburg« und beginnt feierliche Opfer, die aber von verschiedenen Personen, die von der Stadtgründung profitieren wollen, gestört werden (Bettelpoet, Wahrsager, Geometer, Kommissar, Gesetzesverkäufer); der Held entledigt sich ihrer auf lustigste Weise.

Nach der zweiten Parabase meldet ein Bote die Vollendung der gewaltigen Stadtmauern durch den Großeinsatz der baukundigen Vögel, ein anderer aber bereits das Eindringen eines geflügelten Gottes: Es ist die Götterbotin Isis, die die Menschen zum Opfern ermahnen soll; sie wird, nicht ohne Bedrohung ihrer Jungfräulichkeit, belehrt, dass die Opfer nunmehr von den Vögeln entgegengenommen werden. Ein Herold, zu den Menschen entsandt, berichtet, dass diese ganz der Ornithomanie verfallen seien und in Scharen kämen, um beflügelt zu werden. Peithetairos »beflügelt« sie nach Kasperleart (den missratenen Sohn, den Dichter Kinesias, den Sykophanten). Auf die Berührung mit den Menschen folgt die Auseinandersetzung mit den Göttern, die zu verhungern drohen, weil die Vögel ihnen die Opfermahlzeit abgeschnitten haben. Von dem alten Götterfeind Prometheus gut beraten, gelingt es unserem Helden, einer Göttergesandtschaft (Poseidon, Herakles, Triballer) auf ergötzliche Weise die Weltherrschaft in Gestalt von Zeus' Zepter und die »Königin«, Zeus' Vertraute, als Gattin für sich abzugewinnen. Ein feierlicher Aufzug des Peithetairos als des neuen höchsten Gottes mit der schönen Braut zur Seite bildet den glanzvollen Abschluss.

Die zeitlose Märchenhaftigkeit und der poetische Höhenflug der *Vögel* lassen die Meisterschaft des Dichters sehen. Hier braucht man nicht hinter allem die athenische Gegenwart zu suchen, wenngleich hinter dem Auswanderungsplan der beiden Biedermänner und dem, was sich daraus unversehens entwickelt, zweifellos die großartigen Projekte, die damals in Athen gang und gäbe waren und in dem Sizilien-Unternehmen und dem Plan einer Eroberung Karthagos gipfelten, stehen. Es ist die Komödie des Aristophanes, in der er sich noch mehr als sonst als ein Lyriker hohen Ranges zeigt und in der die der Chormaske abgewonnenen artigen Einfälle das ganze Stück beherrschen. Die Frage nach einer Tendenz verliert angesichts solcher Poesie ihre Bedeutung.

Personen

PEITHETAIROS, EUELPIDES } *Athener*
WIEDEHOPF, *der verwandelte König Tereus*
DIENER *des Wiedehopfs*
Ein VOGELPRIESTER
Ein BETTELPOET
Ein WAHRSAGER
METON, *Astronom und Geometer*
Ein KOMMISSAR *aus Athen*
Ein GESETZESVERKÄUFER
Zwei VOGELBOTEN
IRIS, *die Götterbotin*
Ein VOGELHEROLD
Ein UNGERATENER SOHN
KINESIAS, *ein Dithyrambendichter aus Athen*
Ein SYKOPHANT
PROMETHEUS, *der Titan*
HERAKLES, POSEIDON, TRIBALLER } *Götter*
Nachtigall (die verwandelte Königin Prokne) als Flötenspielerin, vier einzelne Vögel, ein Rabe als Flötenspieler, Vogelsklaven, Basileia (die Himmelskönigin)
CHOR: Die Vögel

Schauplatz: Hochgelegene Berggegend fern von Athen, später die neue Vogelstadt Wolkenkuckucksburg.

Zeit der Aufführung: An den großen Dionysien (März/April) 414 v. Chr. Den 1. Preis gewann Ameipsias mit den *Schwärmern*, den 2. die *Vögel*, den 3. Phrynichos mit dem *Einsiedler*.

Prolog

Hochgelegene Wald- und Berggegend. Peithetairos und Euelpides, durch ihr Gepäck als Auswanderer kenntlich, jeder mit einem Vogel auf der Hand, treten auf.

EUELPIDES *zu der Dohle, die er auf der Hand trägt:*
Gradaus, dort nach dem Baum zu weist du mich?
PEITHETAIROS *zu seiner Krähe:* Ei, berste du! – Die krächzt uns nun zurück.
EUELPIDES: Verdammt! Da stolpern wir nun auf und ab
Und laufen kreuz und quer hinein ins Blaue!
PEITHETAIROS: Ich Tor! – zu folgen einer Kräh und mehr
Als tausend Stadien Wegs herumzuirren!
EUELPIDES: Ich Narr! – zu folgen einer Dohl und mir
Die Nägel an den Zehen abzulaufen!
PEITHETAIROS: Wo mögen wir in aller Welt nur sein?
EUELPIDES: Du fändest du von hier die Vaterstadt?
PEITHETAIROS: Unmöglich – selbst für Exekestides!
EUELPIDES *stolpernd:* Au weh!
PEITHETAIROS: So geh doch diesen Weg, Kam'rad!
EUELPIDES: Der Vogelhändler hat uns schon geprellt,
Philokrates, der hirnverbrannte Krämer,
Der log. Die beiden führten uns zum Tereus,
Dem Wiedehopf, nunmehr'gem Vollblutvogel.
Die Dohle – Tharrhaleides' Sohn – verkauft' er
Uns für 'nen Obolos, und hier die Krähe
Für drei, und beide können nichts als beißen!
Die Dohle pickt nach ihm.
Was schnappst du wieder? Willst du uns die Felsen

Hinabspedieren? – Hier ist weit und breit
Kein Weg!
PEITHETAIROS: Beim Zeus, auch nicht der schmalste Fußpfad!
EUELPIDES: Sagt deine Krähe dir denn nichts vom Weg?
PEITHETAIROS: Bei Zeus, sie krächzt jetzt anders als vorhin.
EUELPIDES: Was sagt sie denn vom Weg?
PEITHETAIROS: Was wird sie sagen?
Weghacken wolle sie mir noch die Finger!
EUELPIDES *gegen die Zuschauer:* Ist das nicht arg, dass wir, die zu den Raben
Zu gehn parat und voll Verlangen sind,
Nun erst den Weg dahin nicht finden können?
Denn wisst, ihr Herrn Zuschauer, unsre Krankheit
Ist just das Gegenteil von der des Sakas:
Der, nicht Stadtbürger, drängt sich ein, doch wir,
Von Stamm und Zunft und Haus aus makellos,
Vollbürger, nicht verjagt, aus eignem Antrieb
Entflogen spornstreichs unsrer Heimat; – nicht
Als wär uns diese Stadt verhasst und wäre
Nicht herrlich, groß und weit und allen offen,
Die drin ihr Geld verprozessieren wollen!
Denn einen Monat oder zwei nur zirpen
Im Laub die Grillen. Doch ihr ganzes Leben
Verzirpen im Gerichtshof die Athener.
Dies ist der Grund, warum wir hier marschieren
Mit Korb und Topf und Myrtenreis. Wir streifen
Herum und suchen einen Friedensort,
Um dort dann unsre Wohnung aufzuschlagen.
Gerad zu Tereus geht jetzt unsre Fahrt,
Zum Wiedhopf, um zu fragen, ob er als
Gereister Vogel so 'ne Stadt gesehn.
PEITHETAIROS: Du!
EUELPIDES: Was?

PEITHETAIROS: Die Krähe winkt mir immer dort
Hinauf.
EUELPIDES: Auch meine Dohle reckt den Schnabel
Weit offen in die Höh, mir was zu zeigen.
Kein Zweifel mehr, hier müssen Vögel sein.
Wir schlagen Lärm, da sind wir gleich im Klaren.
PEITHETAIROS: Hör, stoß doch mit dem Fuß hier an den Felsen!
EUELPIDES: Stoß du doch mit dem Kopf, dann klopft es doppelt!
PEITHETAIROS: So poch mit einem Stein!
EUELPIDES: Wie du befiehlst! –
Klopft mit einem Stein und ruft: He, Bursch!
PEITHETAIROS: Was rufst du?
Nennst den Wiedhopf »Bursch«?
Nicht »Bursch«, »Huphup« musst du den Wiedhopf rufen.
EUELPIDES: Huphup! Wie lange muss ich denn noch klopfen?
Huphup!
DIENER DES WIEDEHOPFS *mit langem, weit offenem Schnabel, tritt heraus; Peithetairos und Euelpides fahren zurück; Dohle und Krähe fliegen fort:*
Wer klopft? Wer ruft hier meinem Herrn?
EUELPIDES: Apollon, sei uns gnädig! Welch ein Schlund!
DIENER: Ich Unglücksel'ger, weh, zwei Vogelsteller!
EUELPIDES *in höchster Not*: Weh, was passiert mir? Unaussprechliches!
DIENER: Hol euch –
EUELPIDES: Für Menschen hältst du uns?
DIENER: Was sonst?
EUELPIDES: Ich bin der Vogel Graus aus Afrika.
DIENER: Du lügst!
EUELPIDES: Da frag die Soße an meinen Beinen.
DIENER *zu Peithetairos:* Und welch ein Vogel bist denn du? Sag an!
PEITHETAIROS: 'ne Art von Goldfasan – der Diarrhöling.

EUELPIDES *zum Diener:* Was bist denn du nun aber für ein Tier?
DIENER: Ein Vogelsklave bin ich!
EUELPIDES: Hat denn wohl
Ein Kampfhahn dich besiegt?
DIENER: O nein! Doch als
Mein Herr zum Wiedehopf wurde, bat er mich,
Als Vogel mitzugehn und ihm zu dienen.
EUELPIDES: Braucht denn ein Vogel auch noch Dienerschaft?
DIENER: Er wohl, vermutlich, weil er Mensch einst war;
Bald hätt er gern phalerische Sardellen:
Gleich schlupf ich mit dem Töpfchen fort und hole;
Dann will er Mus: nach Quirl und Pfanne schlupf ich
Durch Heck und Zaun –
EUELPIDES: Nun kenn ich dich: Zaunschlüpfer!
Hör, weißt du was, Zaunschlüpfer, schlüpf hinein,
Und ruf uns deinen Herrn!
DIENER: Der macht sein Schläfchen,
Denn Schnaken aß er just und Myrtenbeeren.
EUELPIDES: Geh nur und weck ihn!
DIENER: Zwar weiß ich gewiss,
Er ist erbost – nun euch zulieb: Ich weck ihn! *Ab.*
PEITHETAIROS *ihm nachrufend:* Dass du krepierst! Mich so halb tot zu ängsten!
EUELPIDES: O weh, auch ist vor Angst entflogen mir
Die Dohle!
PEITHETAIROS: Feiges Tier, du hast vor Angst
Die Dohle fliegen lassen?
EUELPIDES: Hast denn du
Beim Fallen nicht die Krähe fahren lassen?
PEITHETAIROS: Ich nicht, bei Zeus!
EUELPIDES: Wo ist sie denn?
PEITHETAIROS: Entflogen!
EUELPIDES: Und du, du hieltst sie nicht, du tapfrer Held!

WIEDEHOPF *hinter der Szene:* Tu auf den Wald, damit hinaus ich trete!

Der Wiedehopf tritt gravitätisch heraus, ein recht improvisierter Vogel mit kärglichem Federkleid.

EUELPIDES: Welch Wundertier! O Herakles, welch Gefieder!
Und auf dem Kopf drei Büsche! – welche Mode!

WIEDEHOPF: Wer wünscht zu sehn mein Antlitz?

EUELPIDES: Die zwölf Götter –
Traktierten, scheint's, dich schlecht!

WIEDEHOPF: Ihr spottet mein
Und meiner Schwingen? Fremdlinge, ich war
Einst Mensch –

EUELPIDES: Wir lachen dich nicht aus –

WIEDEHOPF: Wen denn?

PEITHETAIROS: Dein krummer Schnabel nur erschien uns spaßhaft.

WIEDEHOPF: So hat der Sophokles mich zugerichtet
In seinem Trauerspiel, ja, mich, den Tereus!

EUELPIDES: Du bist der Tereus? Vogel oder Pfau?

WIEDEHOPF: Ein Vogel doch!

EUELPIDES: Wo sind denn deine Federn?

WIEDEHOPF: Mir ausgefallen –

EUELPIDES: Wohl in einer Krankheit?

WIEDEHOPF: Nein, alle Vögel mausern sich im Winter,
Es wachsen dann uns neue nach! – Allein
Wer seid denn ihr?

PEITHETAIROS: Wir beide? Menschenkinder!

WIEDEHOPF: Woher?

PEITHETAIROS: Woher die stolze Flotte stammt.

WIEDEHOPF: Wohl Heliasten?

PEITHETAIROS: Antiheliasten,
Das Gegenteil!

WIEDEHOPF: Gedeiht denn solches Korn
Dort auch?
PEITHETAIROS: Gar dünn gesät ist's auf dem Land.
WIEDEHOPF: Was habt ihr vor? Was führt euch denn hierher?
PEITHETAIROS: Dich sprechen wollen wir!
WIEDEHOPF: Worüber denn?
PEITHETAIROS: Einmal – du warst ein Mensch einst, so wie wir,
Und hattest wohl auch Schulden, so wie wir,
Und zahltest sie nicht gerne, so wie wir;
Zum zweiten hast, zum Vogel umgestaltet,
Du Erd und Meer umflogen, und so weißt
Du, was ein Mensch und was ein Vogel weiß.
Drum nahn wir hilfesuchend dir und bitten,
Ob du vielleicht uns eine Stadt kannst nennen,
Wo weich und warm man in der Wolle sitzt?
WIEDEHOPF: Und größer als die Stadt der Kranaer?
PEITHETAIROS: Nicht größer, aber dienlicher für uns?
WIEDEHOPF: Haha, du denkst aristokratisch?
PEITHETAIROS: Ich?
Mitnichten, Skellias' Sohn ist mir ein Greuel!
WIEDEHOPF: In welcher Stadt denn wohntet ihr am liebsten?
PEITHETAIROS: Wo dies die wichtigsten Geschäfte wären:
Früh käm an meine Tür ein guter Freund
Und spräche: »Beim olymp'schen Zeus, du kommst
Doch ja zu mir mit deinen Kindern, wenn
Sie morgens frisch gebadet sind. Wir haben
Ein Hochzeitsmahl; und fehl mir ja nicht, sonst
Bleib mir auch weg, wenn's einmal schmal mir geht!«
WIEDEHOPF *lachend:* Bei Zeus, du liebst beschwerliche
Geschäfte!
Zu Euelpides: Und du?
EUELPIDES: Dergleichen lieb auch ich!

WIEDEHOPF: Zum Beispiel?
EUELPIDES: Wenn einer schwerbeleidigt sich bei mir
Beklagt, ein Vater eines hübschen Knaben:
»So? Schön von dir, Stilbonides! Mein Söhnchen,
Das frisch gebadet du beim Ringhof trafst,
Mir nicht zu grüßen, küssen, mitzunehmen –
Und auszugreifen – du, mein alter Freund?!«
WIEDEHOPF *gespielt mitleidig:* Du armer Mann, welch Unglück du dir wünschst!
Nun, in der Tat, solch eine Stadt der Wonne
Liegt fern am Roten Meer –
EUELPIDES: Um Gottes willen,
Nur nicht am Meer! – dass eines Morgens – schrecklich! –
Die »Salaminia« auftaucht, uns zu holen?
Kannst du uns keine Stadt in Hellas nennen?
WIEDEHOPF: Lasst euch zu Lepreos in Elis nieder!
EUELPIDES: Zu Lepreos, dem Krätznest? Pfui, das hass ich,
Eh ich's gesehn, schon um Melanthios!
WIEDEHOPF: So siedelt euch bei den Opuntiern an
In Lokris!
EUELPIDES: Lokris? Nein, ein lockrer Lump,
Das würd ich nicht um eine Tonne Golds! –
Doch wie ist bei euch Vögeln hier das Leben?
Du kennst es ja!
WIEDEHOPF: Kein übler Aufenthalt!
Man braucht hier, um zu leben, keinen Beutel!
EUELPIDES: So gibt's auch keine Beutelschneiderei!
WIEDEHOPF: Wir picken in den Gärten weißen Sesam,
Mohnkörner, Wasserminze, Myrtenbeeren.
EUELPIDES: Da führt ihr ja ein wahres Hochzeitsleben!
PEITHETAIROS *der längere Zeit grübelnd dabeistand, plötzlich auffahrend:*
Ha! Phantastisch!

Zu großen Dingen, seh ich, ist bestimmt
Das Vogelvolk – wenn ihr mir folgen wollt!
WIEDEHOPF: Wie folgen?
PEITHETAIROS: Wie? Vor allem flattert nicht
Mit offnen Schnäbeln in der Welt herum!
Das schickt sich nicht für euch! Wenn dort bei uns
Man fragt nach solchen flatterhaften Burschen:
»Wer ist der Vogel?«, gleich sagt Teleas:
»Ein wetterwend'scher Vogel ist der Mann,
Heut so und morgen so, ein luft'ger Zeisig!«
WIEDEHOPF: Ja, bei Dionysos, und der Mann hat recht!
Was tun?
PEITHETAIROS: Erbaut euch eine Stadt für alle!
WIEDEHOPF: Wir Vögel eine Stadt baun? Wie denn das?
PEITHETAIROS: Mein Gott, wie albern du nur reden kannst!
Da schau hinab!
WIEDEHOPF: Ich schau!
PEITHETAIROS: Nun schau hinauf!
WIEDEHOPF: Ich schau!
PEITHETAIROS: Jetzt dreh den Hals herum!
WIEDEHOPF: Bei Zeus,
Ein schöner Spaß, den Hals mir zu verrenken?
PEITHETAIROS: Was sahst du nun?
WIEDEHOPF: Die Wolken und den Himmel!
PEITHETAIROS: Das ist doch wohl der Vögel Stätte, nicht?
WIEDEHOPF: Die Stätte? Inwiefern?
PEITHETAIROS: Nun, gleich dem Raum,
Wo stattlich ausgestattet, was ihr wollt,
Ihr euch gestattet – das ist eure Stätte!
Und baut ihr Häuser da und Mauern drum,
Dann habt ihr aus der Stätte eine Stadt!
Heuschrecken sind dann gegen euch die Menschen,
Die Götter hungert ihr gut melisch aus –

WIEDEHOPF: Wie?
PEITHETAIROS: Zwischen Erd und Himmel ist die Luft,
Nicht wahr? – Wie wir, wenn wir nach Delphi gehn,
Um freien Durchzug die Böoter bitten,
So, wenn die Sterblichen den Göttern opfern,
Und die den Durchgangszoll euch nicht entrichten,
Lasst durch die Luftstadt ihr die fremde Ware,
Den Opferbratenduft, nicht mehr passieren.
WIEDEHOPF: Der Tausend auch!
Bei allen Netzen, Schlingen, Vogelstangen!
Ein bessrer Einfall kam mir nie zu Ohren!
Es gilt! Ich bau mit dir die Stadt, wofern
Die andern Vögel einverstanden sind.
PEITHETAIROS: Wer stellt den Antrag ihnen vor?
WIEDEHOPF: Du selbst!
Durch langen Umgang bracht ich den Barbaren –
Das waren sie – die Menschensprache bei.
PEITHETAIROS: Kannst du sie denn zusammenrufen?
WIEDEHOPF: Leicht!
Ich gehe nur geschwind da ins Gebüsch
Und wecke meine Nachtigall; dann rufen
Wir ihnen, und sobald sie unsre Stimme
Vernehmen, eilen sie im Flug herbei.
PEITHETAIROS: Herzlieber Vogel, steh nicht müßig da,
Ich bitt dich, geh nur gleich hier ins Gebüsch,
Geh schnell und wecke deine Nachtigall!
WIEDEHOPF *geht in das Gebüsch und singt:*
O Gespielin, wach auf und verscheuche den Schlaf,
Lass strömen des Liedes geweihte Musik
Aus der göttlichen Kehle, die schmelzend und süß
Um mein Schmerzenskind und das deine klagt,
Und melodischen Klangs aushauchend den Schmerz,
Ach, um Itys weint.

Rein schwingt sich der Schall durch das rankende Grün
Zu dem Throne des Zeus, wo Phoibos ihm lauscht,
Der Goldengelockte, zu deinem Gesang
In die elfenbeinerne Harfe greift,
Zu deinem Gesange den schreitenden Chor
Der Unsterblichen führt;
Und weinend mit dir, einstimmig ertönt
Von dem seligen Mund
Der Unsterblichen himmlische Klage.
Flötenspiel hinter der Szene, Nachtigallengesang nachahmend.

EUELPIDES: Welch Vogelstimmchen! Nein, das übertaut,
Bei Zeus, mit Honigseim den ganzen Wald.
PEITHETAIROS: Du –
EUELPIDES: Ja, was ist?
PEITHETAIROS: Sei still doch!
EUELPIDES: Ei, warum?
PEITHETAIROS: Der Wiedehopf präludiert, es kommt noch eins!
WIEDEHOPF *singt unter Flötenbegleitung, die den Gesang der Nachtigall imitiert:*
Hup hup hup op op op, hup hup hup hup hup,
Juhu, Juhu! Heran, heran!
Heran, ihr meine Mitgefiederten,
Was auf Ährengefilden den Kropf sich füllt!
Heran, ihr Gerstenpicker allzumal,
Körnerauflesende, flinke, geschmeidige,
Wohllautatmende Sänger,
Die ihr in Saatenfurchen
Trippelt, des feinen Stimmchens
Froh, behaglich also zwitschert:
Tiotio tiotio tiotio tiotio!
Ihr, die ihr in Gärten im Efeulaub

Verborgen nascht, auf den Bergen schwärmt,
Berberitzenverschlinger, Erdbeerenverschlucker,
Fliegt schleunig herbei auf meinen Ruf:
Trioto trioto totobrix!
Ihr, die ihr in sumpfigen Schluchten
Gerüsselte Mücken erschnappt und vom Wiesentau
Benetzt durch die blumigen Auen streift
Und Marathons liebliche Gründe!
Komm, rotbehaubter Vogel, Haselhuhn, Haselhuhn!
Kommt, die ihr über die Wogen des Meers
Fliegt »mit den wandernden Eisvögeln«,
Eilt, zu vernehmen die Kunde, die neueste!
Sammelt, wir rufen euch, sammelt euch alle
Vom langhalsigen Stamme der Vögel!
Denn ein Greis ist gekommen, ein kluger Kopf,
Mit neuen Ideen,
Erfinder neuer Projekte,
Drum kommt nun all zur Beratung,
Kommet, kommet, kommet, kommet!
Toro toro toro torotix!
Kikkabau! Kikkabau!
Toro toro toro torolililix!

PEITHETAIROS *zu Euelpides:* Du, siehst du einen Vogel?

EUELPIDES: Keinen Schwanz,
Obwohl ich offnen Mauls zum Himmel gaffe!

PEITHETAIROS: Der Wiedhopf, scheint's, hat hinterm Busch vergeblich
Gegluckst, gebalzt als wie ein Auerhahn.

Parodos

Ein rotgefiederter Vogel erscheint.

VOGEL: Torotix torotix!

PEITHETAIROS:
Ei der Tausend, Freund, ein Vogel! Sieh, da rückt ein Vogel an!

EUELPIDES:
Ei, ein Vogel! Was für einer, möcht ich wissen, wohl ein Pfau?

PEITHETAIROS *während der Wiedehopf wieder hervorkommt:*
Der da wird's am besten wissen, was das für ein Vogel ist.

WIEDEHOPF: Das ist kein gemeiner Vogel, den ihr alle Tage seht,
Ein Sumpfvogel!

EUELPIDES: Alle Wetter, prächtig, purpurrot geflammt!

WIEDEHOPF:
Ganz natürlich! und deswegen ist er Flammbart auch genannt!
Ein Hahn tritt gravitätisch herein.

EUELPIDES:
Du – potz Wetter!

PEITHETAIROS: Warum schreist du?

EUELPIDES: Sieh, ein zweiter Vogel kommt!

PEITHETAIROS:
Ja, bei Zeus! Gewiss stammt dieser auch »von fern aus fremdem Land«.
Zum Wiedehopf: Wer nur ist »der seltsam stolze bergaufsteigende Prophet«?

WIEDEHOPF:
Dieser? »Perservogel« heißt er!

PEITHETAIROS: Perser? Ei, beim Herakles,
Sag, wie kommt er denn als Perser ohne sein Kamel daher?
Ein ruppiger Wiedehopf tritt auf.

EUELPIDES:
Sieh, da kommt ein weitrer Vogel, einen Helmbusch auf dem Haupt!

PEITHETAIROS *zum Wiedehopf:*
Ei, wie sonderbar! So bist du nicht der einz'ge Wiedhopf hier?
Gibt's denn außer dir noch andre?

WIEDEHOPF: Der da ist Philokles' Sohn,
Wiedhopfs Enkel, sein Großvater bin ich selbst – gerade wie
Hipponikos, Sohn des Kallias, Kallias, Hipponikos' Sohn.

EUELPIDES:
Also Kallias ist der Vogel! Himmel, wie der Federn lässt!

PEITHETAIROS:
Weil er redlich ist, wird er von Sykophanten ausgerupft;
Und die letzten Federn raufen ihm galante Dirnen aus!
Eine Kropfgans watschelt herein.

EUELPIDES:
Potz Poseidon, welch ein Vogel, der in allen Farben spielt!
Nun, wie heißt denn dieser?

WIEDEHOPF: Kropfgans, der bekannte »Nimmersatt«.

EUELPIDES:
Heißt denn »Nimmersatt« noch jemand anders als
Kleonymos?

PEITHETAIROS:
Der – Kleonymos? – verloren hat er ja den Helmbusch nicht!

EUELPIDES:
Überhaupt, was soll das Buschwerk auf dem Kopf des Federviehs?
Gibt's 'nen Wettlauf denn?

WIEDEHOPF: Sie machen's eben wie die Karier,
Leben ständig unter Büschen wegen ihrer Sicherheit.
Der Chor der Vögel hüpft und flattert herbei.

PEITHETAIROS:
Oh, Poseidon! Welches Vogelungewitter zieht sich, schau,
Dort zusammen!

EUELPIDES: Oh, Apollon! Welche Wolke, Gott erbarm's!
Kaum vor flatterndem Gevögel ist der Eingang mehr zu sehn!

PEITHETAIROS:
Dort ein Rebhuhn, ei der Tausend! – hier ein Haselhuhn – und hier,
Sieh, da patscht 'ne Wasserente – ein Eisvogelweibchen dort!

EUELPIDES:
Hinter diesem aber?

PEITHETAIROS: Der dort? Ein Bartgeier wird es sein!

EUELPIDES:
Heißt »Bartgeier« denn ein Vogel?

PEITHETAIROS: Heißt denn Sporgilos nicht so?

EUELPIDES:
Siehst du dort die Eul?

PEITHETAIROS: Ich bitte, »bringt man Eulen nach Athen«?

EUELPIDES:
Elster, Turteltaube, Lerche, Weihrauchvogel, Käuzchen, Specht,
Turmfalk, Amsel, Taucher, Schnepfe, Adler, Häher, Auerhahn!

PEITHETAIROS:
Iuh! Iuh! Welch Federvieh!

EUELPIDES: Iuh! Iuh! Das Rabenvieh!
Wie sie piepsen, und wie alles kreischend durcheinanderrennt!
Die Vögel nehmen drohende Haltung ein.

PEITHETAIROS:
Weh, mit offnen Schnäbeln drohend, mit ergrimmten Augen sehn
Sie mich an und dich –

EUELPIDES *ängstlich:* Wahrhaftig, ich bemerk es ebenfalls.

CHOR DER VÖGEL *durcheinanderschnarrend:*
Wo, wo, wo, wo, wo, wo ist er, der uns rief, wo nistet er?

WIEDEHOPF:
Hier bin ich und warte längst, »steh nimmer meinen Freunden fern«.

CHOR:
We-we-we-we-we-we-welche Freundesbotschaft bringst du uns?
WIEDEHOPF:
Eine schöne, kluge, biedre, süße, volksbeglückende!
Denn zwei Menschen, feine Köpfe, sind gekommen, sind bei mir.
Aufruhr unter den Vögeln.
CHOR: Wo? Wie? Wa-was?
WIEDEHOPF:
Von den Menschen, sag ich, kamen zwei ergraute Männer her,
Und zu einem Riesenwerke bringen sie den Bauplan mit.
CHOR:
Einen größern Frevler hab ich, seit ich lebe, nicht gesehn!
Oh, was sagst du?
WIEDEHOPF: Lass mich reden! Fürchte nichts!
CHOR: Was tatst du uns?
WIEDEHOPF:
Männer nahm ich auf, die gerne lebten im Verein mit uns!
CHOR *tragisch:*
Diese Tat hast du begangen?
WIEDEHOPF: Und ich freue mich der Tat!
CHOR:
Und sie sind schon hier?
WIEDEHOPF: In eurer Mitte, so gewiss wie ich!

Strophe

CHOR *in erregtem Gesang:*

Ach, ach!
Verkauft, verraten, geschändet sind wir!
Denn ein Bruder, ein Freund, der gemeinsam mit uns
  Auf den Fluren sein Futter sich suchte,
Hat gebrochen das uraltheil'ge Gesetz,
Hat gebrochen den Eid der Vögel!
Hat ins Netz mich gelockt,
  Mich dem argen Geschlecht
  In die Hände geliefert, das, seit es erzeugt,
Mir nur Böses getan!

Nun, mit diesem Vogel reden wir dann später noch ein Wort!
Doch die beiden alten Sünder, denk ich, züchtigen wir gleich,
Kommt, wir reißen sie in Stücke!

Allgemeine Aufregung.

PEITHETAIROS: Weh, nun ist's um uns geschehn!

EUELPIDES:
Ja, und du, du bist an allem diesem Unglück schuld! Warum
Hast du mich auch mitgenommen?

PEITHETAIROS: Nun, damit du bei mir bist!

EUELPIDES:
Um es bitter zu beweinen!

PEITHETAIROS: Sieh, wie albern schwatzt du jetzt!
Denn wie kannst du weinen, wenn sie dir die Augen ausgehackt!

Gegenstrophe

CHOR *sich zum Angriff formierend:*
Io, Io!
Nun drauf und daran, und in grimmigem Sturm
Auf den Todfeind los und umzingelt ihn rings,
Und schlagt um ihn eure Flügel!
Laut heulen soll das verruchte Paar,
Ein Fraß für unsere Schnäbel!
Nicht der waldige Berg,
Nicht die Wolke der Luft,
Nicht das graue Gewässer des Meeres soll
Sie beschützen vor mir!

Nun, was zaudern wir noch länger? Beißt und kratzt und reißt und rupft!
He, wo ist der Hauptmann? – Dringe mit dem rechten Flügel vor!

EUELPIDES:
Nun wird's ernst! – Wohin entflieh ich Armer?

PEITHETAIROS: Du, so halt doch stand!

EUELPIDES:
Soll ich mich zerreißen lassen?

PEITHETAIROS: Hoffst du Narr denn, ihnen noch
Zu entwischen?

EUELPIDES: Wie, das weiß ich freilich nicht!

PEITHETAIROS: So höre denn!
Lass zum Kampf uns zu den Töpfen greifen nun mit tapfrer Hand!

EUELPIDES:
Und was soll der Topf uns helfen?

PEITHETAIROS: Dass uns keine Eule packt!

EUELPIDES:
Wider diese krummen Krallen –?

PEITHETAIROS: Nimm den Bratspieß, stecke ihn
Vor dir ein als Schanzpfahl!
EUELPIDES: Aber meine Augen! Ach, was tun?
PEITHETAIROS:
Halt das Essigkrüglein oder hier das Schüsselchen davor!
EUELPIDES:
Ei, Respekt vor deiner Klugheit! Ganz strategisch ausgedacht!
In Kriegslisten und Maschinen stichst du selbst den Nikias aus.
CHOR:
Hurra! Marsch! Bei Fuß den Schnabel! Vorwärts, vorwärts, drauf und dran!
Rupft, reißt, beißt, zerrt, stoßt, haut, raufet! Schlagt zuerst den Topf entzwei!
Setzt sich in Marsch.
WIEDEHOPF *dazwischentretend:*
Sprecht, was fällt euch ein, was soll das, allerschlimmste Bestien ihr?
Morden wollt ihr Männer, die euch nichts getan, zerreißen wollt
Ihr Landsleute ohne Schonung, Blutsverwandte meiner Frau?
CHOR:
Was? Weswegen sollten ihrer mehr wir schonen als des Wolfs?
Haben wir denn schlimmre Feinde noch zu züchtigen als die?
WIEDEHOPF:
Wenn sie aber, von Geburt zwar Feind, im Herzen Freunde sind,
Wenn, euch guten Rat zu geben, nur sie da sind, nun, wie dann?
CHOR:
Pah! Wie können die uns lehren oder guten Rat wohl gar
Uns erteilen, unsre Feinde, unsrer Ahnen Feinde schon?

WIEDEHOPF:

Freunde! Kluge Leute lernen auch von ihren Feinden gern.
Vorsicht frommt in allen Stücken: Von dem Freunde wirst du sie
Schwerlich lernen, doch die Feinde, ja die zwingen dich dazu.
Denn die Städte – nicht dem Freunde, nein, dem Feind verdanken sie's,
Wenn sie hohe Mauern bauen und Fregatten für den Krieg;
Dass sie's lernten, sichert ihnen Hab und Gut und Weib und Kind.

CHOR:

Ihrem Wort Gehör zu schenken kann vorerst, wie mich bedünkt,
Uns nicht schaden: Was Gescheites lernt man manchmal auch vom Feind.

PEITHETAIROS *zu Euelpides:*

Gut, ihr Zorn will, scheint's, sich legen. Weiche Schritt für Schritt zurück!

WIEDEHOPF *zum Chorführer:*

Das ist billig, und ihr könnt es mir auch zu Gefallen tun!

PEITHETAIROS *zu Euelpides:*

Sieh, sie ziehn's doch vor, in Frieden
Uns zu lassen. Lege darum
Hin die Schüssel samt dem Topfe!
Mit dem Speer im Arm, dem Bratspieß,
Wollen wir Patrouille gehen
Innerhalb des Waffenplatzes,
Nach dem Topf, des Lagers Marke,
Scharf hinsehend: Fliehn war Schande!

EUELPIDES:

Aber wenn wir fallen sollten,
Wo denn wird nur unser Grab sein?

PEITHETAIROS:
Auf dem Töpferplatz! – Damit man
Uns von Staats wegen bestattet,
Werden wir den Feldherrn sagen,
Dass wir kämpfend sind gefallen
In der Schlacht am Vogelsberg!

CHOR:
Zurück denn, und stellt euch in Reih und Glied,
Und die Lanze des Muts pflanzt neben dem Schild
Des Schlachtgrimms auf, wie im Feld der Soldat;
Wir verhören indessen die Männer da: Wer
Und von wannen sie sind
Und in welcherlei Absicht sie kommen.

Zum Wiedehopf: He, Wiedhopf, gib einmal Bescheid!

WIEDEHOPF: Bescheid? Was willst du wissen, sprich!
CHOR: Wer sind die zwei da, und woher?
WIEDEHOPF: Gastfreund' aus Hellas' weisem Volk!
CHOR: Welch Ungefähr führt sie denn
Beid hierher ins Vogelreich?
WIEDEHOPF: Der Wunsch, mit dir, nach deiner Sitt
Und Art zu leben allezeit!
CHOR: Was sagst du? Und was bringen sie denn vor?
WIEDEHOPF: Unglaublich klingt es, unerhört!
CHOR: Wie denken sie den Aufenthalt
Uns wohl zu lohnen? Wollen sie
Mit uns dem Feinde schaden und
Befördern ihrer Freunde Wohl?
WIEDEHOPF: Ein großes Glück verheißt er uns,
Unglaublich, unaussprechlich groß!
Dass rundum alles euch gehört,

Was unten, oben, rechts und links,
Das demonstriert er euch aufs Haar.
CHOR: Ob's ein Verrückter ist?
WIEDEHOPF: Oh, ein durchtriebner Kopf!
CHOR: Ob Klugheit in ihm steckt?
WIEDEHOPF: Ein ganz schlauer Fuchs!
Der Witz, der Kniff, der Pfiff, der Scharfsinn selbst!
CHOR: Ich will ihn hören, ruf ihn gleich!
Was du da sagst – mich juckt's davon
Schon jetzt in allen Federn!

WIEDEHOPF *zu Peithetairos und Euelpides:* Wohlan denn du
und du, die Waffenrüstung
Schafft weg und hängt zur guten Stund sie auf
Im Rauchfang, bei dem Bild des Feuergottes!
Zu Peithetairos: Du aber lass dein Wort, zu dem ich sie
Berief, uns hören, sprich!
PEITHETAIROS: Beim Phoibos, nein!
Wenn sie mit mir nicht eingehn den Vertrag,
Wie ihn mit seinem Weib der »Affe« schloss,
Der Messerschmied: Mich nicht zu beißen, nicht
Am Hodensack zu zerren, nicht zu krabbeln
Mir da –
WIEDEHOPF: Da hinten?
PEITHETAIROS: Nein! Am Auge, mein ich!
CHOR: Das geh ich ein!
PEITHETAIROS: Beschwöre mir's!
CHOR: Ich schwöre!
So wahr ich mit den Stimmen aller Richter
Und allen Volks zu siegen wünsch –
PEITHETAIROS: Es gilt!
CHOR: – Und halt ich's nicht – mit e i n e r Stimme nur!

PEITHETAIROS *zu Euelpides:* Hört, Bürger und Soldaten, geht mit Wehr
Und Waffen jetzt nach Haus; und habt wohl acht
Des Maueranschlags, der das Weitre sagt!

Agon

Strophe

CHOR:
So verschlagen in allen Stücken auch der Mensch
Von Haus aus ist, doch will ich dich hören; sag an!
Denn wohl ist es möglich,
Dass du bessern Rat mir zu geben imstand bist,
Als ich selbst es vermöchte,
Und zu größerer Macht mir verhelfen kannst,
Die mein blöderer Geist nicht geahnt: Drum rede!
Was Ersprießliches du uns
Zu verschaffen weißt, teilen wir dann redlich!

CHOR:
Wohlan denn, mit welchem Projekt du kommst, von dir im Geiste ersonnen,
Das sage getrost! Denn wir werden zuerst den geschlossnen Vertrag nicht verletzen!

PEITHETAIROS:
Schon gärt mir's im Kopfe, beim Zeus, und der Teig zu der Rede, schon ist er im Gehen;
Jetzt ohne Verzug, jetzt knet ich ihn aus! *Einen Sklaven rufend:* Einen Kranz her, Bursch, und ein Becken!
Komm, gieße das Wasser mir über die Hand –
Ein Vogelsklave bringt das Gewünschte.

EUELPIDES: Wie? Geht es zum Schmause denn oder –

PEITHETAIROS *zu Euelpides:*
Nichts weniger! Nein, ich studiere schon lang auf ein mächtiges, schlagendes Kraftwort,
Zu erschüttern die Seele des Volks –
Zum Chor: Ja seht, nur für euch bin ich also bekümmert,
Dass ihr, einst Könige –

CHOR: Könige wir? Über wen denn?

PEITHETAIROS: Könige, freilich,
Über alles, was lebt und webet, zuerst über mich, über den da *(auf Euelpides deutend)* und Zeus selbst:
Denn älter, weit älter ist euer Geschlecht als Kronos zusamt den Titanen,
Und die Erde –

CHOR: Die Erde?

PEITHETAIROS: Fürwahr, bei Apoll!

CHOR: Ei, das erste Mal, dass ich das höre!

PEITHETAIROS:
O Einfalt! Du hast dich nicht umgetan und deinen Äsop nicht gelesen.
Der es deutlich doch sagt, dass die Schopflerch einst der erste der Vögel gewesen.
Eh die Erde noch war! Und da sei ihr am Pips ihr Vater gestorben und habe
Fünf Tag' unbeerdigt gelegen, dieweil die Erde noch nicht existierte;
Aus Verzweiflung grub dann im eigenen Kopf sie ein Loch zu des Vaters Bestattung.

EUELPIDES:
So liegt denn der Vater der Schopflerch jetzt, der sel'ge, begraben in Schopfloch.

PEITHETAIROS:

Und wenn sie nun lang vor der Erde, lang vor den Göttern gelebt, da gebührt doch
Als den Ältesten ihnen mit Fug und Recht die Gewalt und das Zepter der Herrschaft!

EUELPIDES:

Beim Apollon, gewiss! Drum lass dir nur ja lang wachsen in Zukunft den Schnabel,
Denn das Zepter wird Zeus abtreten so schnell nicht dem eichenpickenden Schwarzspecht!

PEITHETAIROS:

Dass wirklich nun aber die Götter nicht vorzeiten die Menschen beherrschten,
Sondern Vögel als Könige herrschten, dafür gibt's hundert und tausend Beweise.
So war, zum Exempel, vorzeiten der Hahn souveräner Regent und Gebieter
Im persischen Reich, vor den Fürsten lang, vor Dareios und Megabazos,
Drum heißt er denn auch, weil er einst dort gebot, der persische Vogel noch heute.

EUELPIDES:

Drum stolziert er auch noch auf den heutigen Tag mit der aufrecht spitzen Tiara
Auf dem Kopfe umher, wie der große Schah, er allein von sämtlichen Vögeln.

PEITHETAIROS:

So gewaltig war er, so mächtig und stark, dass heute noch, wenn mit dem Tag er
Sein Morgenlied kräht, die Schlafenden all, seiner sonstigen Größe gedenkend,
Aufspringen und rasch an die Arbeit gehn, die Töpfer, die Schmiede, die Gerber,

Mehlhändler, Barbiere und Schneider und Schuh- und Harfen- und Schildfabrikanten,
In die Schlappschuh fahren im Dunkeln sie schnell und rennen –

EUELPIDES: Da kannst du mich fragen:
Meinen Mantel von phrygischem Wollenzeug hab ich Armer durch diesen verloren!
Ich war in die Stadt zu dem Namensfest eines Bübchens geladen, da trank ich
Mir ein Räuschchen und dämmert allmählich ein, eh die andern noch tranken: Da kräht' er;
Ich, wähnend, es tag', geh Halimous zu und laviere so grad vor die Mauern
Hinaus. Da versetzt mir ein Straßendieb mit dem Knüppel eins über den Rücken.
Da lag ich im Dreck und versuchte zu schrein, doch davon waren Mantel und Spitzbub!

PEITHETAIROS:
Der Hellenen König und Herrscher war in selbigen Zeiten der Weihe!

CHOR:
Der Hellenen auch?

PEITHETAIROS:
Und er führte zuerst als ihr Herr und Gebieter den Brauch ein,
Vor dem Weih in den Staub sich zu werfen.

EUELPIDES: Ach ja, so warf ich mich selbst bei dem Anblick
Eines Weihen einmal in den Staub, und es fuhr, wie ich offnen Maules so dalag,
In den Hals mir hinunter mein Obolosstück; leer bracht ich nach Hause den Schnappsack!

PEITHETAIROS:

Im Ägyptenland und im weiten Gebiet der Phönizier herrschte der Kuckuck,
Und sobald sein »Kucku« der Kuckuck rief, da machten sich schnell auf die Beine
Die Phönizier all und schnitten ihr Korn auf den Äckern, Gerste und Weizen.

EUELPIDES:

Potztausend! Da kommt wohl das Sprichwort her: »Kuckuck, in das Feld, geile Brüder!«

PEITHETAIROS:

So gewaltig regierten die Vögel im Land, dass, wo in den Städten von Hellas
Ein König noch war, Menelaos etwa, Agamemnon oder ein andrer,
Ihm auf dem Zepter ein Vogel auch saß, um zu teilen mit ihm die – Schmieralien.

EUELPIDES:

Von all dem wusst ich kein Wörtchen und sah mit Verwundrung, wie mit dem Vogel
Auf dem Zepter hervor oft Priamos trat auf die Bühne: Da stand er, der Vogel,
Und lauerte scharf dem Lysikrates auf, was er etwa bekam an Schmieralien.

PEITHETAIROS:

Doch das Schlagendste, Freunde, das kommt erst jetzt! Zeus selber, der Herrscher von heute,
Steht da, der König der Könige, doch mit dem Vogel, dem Adler, zu Häupten;
Mit der Eule sein Kind, die Athena; sein Knecht und Getreuer Apoll mit dem Habicht.

EUELPIDES:
Ganz richtig bemerkt, bei Demeter, so ist's! Doch wozu die Begleitung der Vögel?

PEITHETAIROS:
Deshalb: Wenn einer beim Opfern das Herz und die Leber, so wie es gebräuchlich,
In die Hand ihm drückt – dass sie selbst vor Zeus das Herz und die Leber sich nehmen! –
Bei den Göttern schwur kein Sterblicher sonst, sondern alle schwuren bei Vögeln.

EUELPIDES:
Und Lampon, der Priester, schwört noch heut bei der Gans, wenn er andre beschwindelt.

PEITHETAIROS:
So hat man vorzeiten euch überall als heilig verehrt und gewaltig!
Jetzt sieht man für Tölpel, für Sklaven euch an.
Und schlägt euch wie wütende Hunde tot
Und schießt nach euch. In den Tempeln sogar
Sind Vogelsteller und lauern euch auf
Mit Netz, Leimrute, mit Schlinge und Garn,
Mit Dohne, mit Sprenkel und Meisenschlag.
Und sie fangen und bringen euch schockweis zu Markt,
Und da kommen die Käufer und tasten euch ab.
Und brieten sie euch, und wären sie nur
Noch zufrieden, euch so zu servieren bei Tisch!
Doch es kommt noch geriebener Käse dazu,
Weinessig und Baumöl und Überguss
Von Honig und Fett, durcheinandergerührt,
Und die Soße dann schütten sie siedendheiß
Euch über das Fell,
Als war es verstunkenes Luder!

Gegenstrophe

CHOR:

O wie schwer, o wie schwer das Wort aufs Herz mir fällt.
Das du, Alter, mir sagst! Ich beweine die Schmach
Und die Feigheit der Väter,
Welche so glänzende Hoheit, ererbt von den Ahnen,
Mir zum Schaden verscherzten.
Doch es führt ja so glücklich ein gutes Geschick
Dich als Retter mir jetzt und Beschirmer entgegen.
Deinem Schutz anbefehlend
Meine Küchlein und mich, leb ich künftig friedlich.

Nun erkläre dich aber, was müssen wir tun? Denn es lohnt nicht der Mühe zu leben,
Wenn wir unser erbeigenes Königtum, wie auch immer, nicht wieder erobern!

PEITHETAIROS:

So vernehmt mein Wort: Eine Stadt muss erstehn zur Behausung sämtlicher Vögel;
Dann müsst ihr die Luft, den unendlichen Raum, müsst Himmel und Erd ihr begrenzen,
Wie Babylon rund mit Mauern umziehn, kolossal aus gebackenen Quadern!

EUELPIDES:

Kebriones, ha, und Porphyrion! Welch himmelanstrebender Stadtbau!

PEITHETAIROS:

Und sobald sie dann steht, die erhabene Stadt, dann verlangt ihr von Zeus, dass er abdankt;
Und will er nicht dran und schlägt er es ab und besinnt sich nicht gleich eines Bessern,

Dann erklärt ihr ihm selber den heiligen Krieg und verbietet sämtlichen Göttern,
Durch euer Gebiet auf den Strich zu gehn mit himmelansteigender Rute,
Wie sie früher so oft ehbrecherisch geil zu Alkmene hernieder sich ließen,
Zu Alope, Leda und Semele. Und kommen sie dennoch, dann müsst ihr
Ihre Eicheln verplomben, damit sie hinfort die Weiberchen lassen in Ruhe;
'Nen Vogel schickt ihr dann ohne Verzug zu den Menschen hinab als Gesandten
Und gebietet: Als Königen sollen sie euch von der Stund an opfern, den Vögeln;
Und nach euch erst kriegen die Götter ihr Teil. Und es steht dann geziemenderweise
Den Göttern stets ein Vogel zur Seit, wie er eben für jeglichen passend.
So, wer Aphrodite ein Opfer weiht, der streue dann Körner dem Sperling.
Und wer dem Poseidon ein Schaf darbringt, der bedenke die Ente mit Weizen.
Wer dem Herakles opfert, bediene zugleich mit Honigkrapfen die Kropfgans.
Wer dem König Zeus einen Schafbock weiht – Zaunkönig ist ebenfalls König,
Und es ziemt sich vor Zeus ihm den Mückenbock mit kräftigen Hoden zu schlachten!

EUELPIDES:

Ein ergötzlicher Spaß: die geschlachtete Mück! Da schlage der Donner des Zeus drein!

CHOR:
Wie sollen denn aber für Götter und nicht für Dohlen die Menschen uns achten?
Wir fliegen und haben doch Flügel am Leib?
PEITHETAIROS: O Einfalt! Hat denn nicht Flügel
Auch Hermes und fliegt, und er ist doch ein Gott, und es fliegen der Götter noch viele:
Die Nike, mit goldenen Schwingen, sie fliegt, und es fliegt doch, beim Zeus, auch der Eros,
Und »der schüchternen Taube vergleichbar« ist nach Vater Homeros die Iris.
Und auch Zeus selbst: Schickt er nicht zu uns unter Donner geflügelte Blitze?
CHOR:
Doch wenn nun für nichts die Sterblichen dann, aus purer Beschränktheit, uns achten.
Und für Götter dort oben nur die im Olymp;
PEITHETAIROS: Dann soll eine Wolke von Spatzen,
Ein fliegendes, körnerauspickendes Korps, wegschnappen die Saaten der Äcker;
Und literweis mag die Demeter dann an die Hungrigen Weizen verteilen.
EUELPIDES:
Die lässt das wohl sein, gib acht, die ersinnt Ausreden und lässt sie verhungern.
PEITHETAIROS:
Dann lasst ihr die Raben dem mageren Vieh, mit dem sie die Äcker bepflügen,
Und den Schafen aushacken die Augen, damit sie erkennen, wer Herr ist und Meister;
Und Apollon, der Arztgott, kuriere sie dann, wie er pflegt – für bare Bezahlung!

EUELPIDES:
Nur ein bisschen noch wartet! Ich möchte nur erst meine Stierchen zuvor noch verkaufen!

PEITHETAIROS:
Doch beten als Schöpfer und Gott sie dich an, als Poseidon, Kronos und Gaia,
Dann genießen sie Güter im Überfluss!

CHOR: So nenne mir eines der Güter!

PEITHETAIROS:
Nie werden den knospenden Reben fortan Heuschrecken die Augen zerfressen,
Denn Sperber und Eulen – nur eine Schwadron wird genug sein, sie zu vertilgen.
Gallwespen und Fliegen und andres Geschmeiß benagen nicht länger die Feigen,
Denn von Krammetsvögeln ein einziger Schwarm wird sauber putzen die Bäume.

CHOR:
Wo kriegen wir aber den Reichtum her für die Menschen? Das ist ja ihr Liebstes!

PEITHETAIROS:
Wer um Silberminen die Vögel befragt, dem verleihn sie die fündigsten Stellen;
Wo die besten Geschäfte zu machen sind, durch die Seher erfährt er's von ihnen;
Nicht ein Seefahrer verunglückt mehr!

CHOR: Nicht einer? Wie sollte das zugehn?

PEITHETAIROS:
Ein Vogel wird jeden, sobald er ihn fragt, zu der Fahrt aufs Beste beraten:
»Jetzt segle nicht ab, denn es droht dir ein Sturm!« – »Du gewinnst: Jetzt lichte die Anker!«

EUELPIDES:
Ei, da kauf ich ein Schiff mir und steche in See; ich verlass euch, ich bleibe nicht länger!
PEITHETAIROS:
Dann decken sie ihnen die Schätze auf, die die Leute vor alters verscharrten,
Voll blinkenden Silbers: Sie wissen gar wohl, wo sie liegen; drum heißt es im Sprichwort:
»Ich hab 'nen Schatz, und es weiß kein Mensch, wo er liegt. Das weiß nur ein Vöglein!«
EUELPIDES:
Ich verkaufe mein Boot, schaff Hacken herbei, und da grab ich mir Töpfe voll Gold aus.
CHOR:
Wie verschaffen wir ihnen Gesundheit denn? Bei den Göttern ja wohnt die Gesundheit?
PEITHETAIROS:
Wenn's ihnen nun aber recht grundwohl geht, das ist doch Gesundheit die Fülle?
EUELPIDES:
Und ob! Denn geht es dem Menschen schlecht, dann fehlt ihm erstlich Gesundheit!
CHOR:
Wo bekommen sie aber das Alter her? Denn das Alter ist auch im Olympos:
Oder sterben die Menschen als Kinder schon weg?
PEITHETAIROS: Mitnichten! Es legen die Vögel
Dreihundert Jahre den Menschen noch zu!
CHOR: Und woher denn?
PEITHETAIROS: Woher? von sich selber!
Denn du weißt, dass: »fünf Geschlechter erlebt der Menschen die krächzende Krähe.«
EUELPIDES *gegen das Publikum:*

Potz Wetter, das nenn ich mir Könige, die weit besser als Zeus
für uns taugen!

PEITHETAIROS *ebenso:*

Das mein ich doch auch!
Wir brauchen da marmorne Tempel nicht mehr
Zu errichten für sie und Portale daran
Zu erbauen aus Gold. Oh, die wohnen auch gern
Im Wacholdergebüsch und im Eichengesträuch,
Und der Ölbaum wölbt sich zum heiligen Dom
Für die Allerhöchsten im Vogelreich.
Nach Delphi zu pilgern, zu Ammons Sitz,
Und zu opfern daselbst fällt keinem mehr ein:
Wir stellen uns mitten ins Dickicht hin
Von wilden Oliven und Erdbeergebüsch
Und streuen Gerste und Weizen für sie
Und flehn mit erhobenen Händen sie an
Um Geld und Gut, und das wird uns dann auch
Ohne weitres gewährt
Für die Handvoll Korn, die wir streuen!

CHOR:

Ehrwürdiger Greis, zum vertrautesten Freund aus dem bittersten Feind mir geworden,
Nie weich ich von dir, treu werd ich bei dir und deinen Entwürfen verharren!
Durch deiner Worte Kraft begeistert, schwör
Ich's heilig, und die Drohung sprech ich aus:
Wenn du mit mir schließt den Pakt und
Rechtlich, ohne Trug und treulich
Mit mir wider die Götter ziehst,
Ein Herz und eine Seele, Freund,
Dann sollen die Götter länger nicht
Unser Zepter schänden!

Und das machen wir so: Wo der rüstigen Kraft es bedarf, da postieren wir selbst uns,
Wo es aber zu denken, zu raten gilt, da vertrauen wir deinem Genie uns!

WIEDEHOPF: Nun aber ist, beim Zeus, nicht mehr zum Zaudern
Und Schlafen Zeit, zur Nikiasnickerei!
Wir müssen handeln, und das gleich! So tretet
Vorerst hier ein in meine Nestbehausung,
Und nehmt vorlieb mit Halmen, Stroh und Reisig.
Und nennt uns doch auch eure Namen!
PEITHETAIROS: Gern,
Ich heiße Peithetairos, »Ratefreund«,
Und der Euelpides, »Hoffegut«, von Krioa.
WIEDEHOPF: Willkommen!
PEITHETAIROS: Schönen Dank!
WIEDEHOPF: Nun tretet ein!
PEITHETAIROS: Geh du voran, wir folgen dir!
WIEDEHOPF: So kommt!
PEITHETAIROS: Doch halt! wie ist denn das? – Komm doch zurück!
Wie können wir, die Unbeflügelten,
Mit euch denn leben, den Beflügelten?
WIEDEHOPF: Ganz gut!
PEITHETAIROS: Du weißt, wie übel in der Fabel
Äsops es jenem Fuchs ergangen ist,
Der mit dem Aar gemeine Sache machte!
WIEDEHOPF: Sei unbesorgt! Es gibt ein Würzelchen,
Das kaut ihr nur, dann seid ihr gleich beflügelt.
PEITHETAIROS: Nun denn, wir folgen!
Zu den Sklaven: Ihr da, Manodoros
Und Xanthias, nehmt die Bagage mit!
CHOR *zum Wiedehopf:*
Noch ein Wort, noch ein Wort, ei so höre doch!

WIEDEHOPF: Nun?
CHOR: Du geleite ins Nest diese Gäste,
Und bewirte sie gut! Doch die Nachtigall, Freund, die süße Gespielin der Muse,
Die schick uns heraus zur Gesellschaft und lass mit der Holden uns spielen und scherzen!
PEITHETAIROS: O ja, bei Zeus, tu ihnen den Gefallen
Und lock das Vögelchen aus dem Gebüsch!
EUELPIDES: Ja, bei den Göttern, lock es her, und gönn
Auch uns den Anblick deiner Nachtigall!
WIEDEHOPF: Nun, wenn ihr wollt, so sei es! *Ruft ins Gebüsch:* Prokne, komm
Heraus und zeige dich den werten Gästen!
Prokne tritt auf als Flötenspielerin, nackt und reich mit Gold geschmückt, mit einer Vogelmaske; den Schnabel bildet die Doppelflöte.
PEITHETAIROS: Großmächt'ger Zeus, welch niedlich Vögelchen,
Wie zart, wie weiß –
EUELPIDES: Ich sage dir, mit der
Probiert ich gern, vierfüßig eins zu spielen!
PEITHETAIROS: Was die mit Gold behängt ist, wie 'ne Jungfrau!
EUELPIDES: Kaum halt ich mich, ich muss, ich muss sie küssen!
PEITHETAIROS: Du Narr, sieh nur den Bratspießschnabel an!
EUELPIDES: Bei Zeus, wie man ein Ei pellt, zieh ich nur
Vom Köpfchen ab die Schale und küsse sie. *Tut es.*
WIEDEHOPF *nimmt ihn am Arm:* Gehn wir hinein!
PEITHETAIROS: Glück zu! Wir folgen dir!
Alle ab. Der Chor bleibt mit der Nachtigall allein.

Parabase

CHOR *singt:* Liebliches Blondköpfchen,
O süßestes Vögelein,
Meiner Lieder Begleiterin,
Nachtigall, holde Gespielin!
Bist du's, bist du's, kommst du,
Bringst du süße Gesänge mit;
Komm und flöte mir himmlische
Frühlingstöne! Anapästische
Rhythmen lass uns beginnen!
Flötenspiel der Nachtigall.

An die Zuschauer:
O ihr Menschen, verfallen dem dunklen Geschick, den Blättern des Waldes vergleichbar,
Ohnmächtige Zwerge, Gebilde von Lehm, traumähnliche Schattengestalten,
O ihr Eintagsfliegen, der Flügel beraubt, ihr erbärmlichverweslichen Wesen,
Jetzt lauschet und hört die Unsterblichen an, die erhabenen, ewiglich jungen,
Die ätherischen, himmlischen, seligen, uns, die Unendliches sinnenden Geister,
Damit ihr vernehmt die Lehre vom All und den überirdischen Dingen:
Wie die Vögel entstanden, der Götter Geschlecht und die Ströme, die Nacht und das Chaos:
Auf dass ihr erkennet, was ist und was war, und zum Geier den Prodikos schicket!
In der Zeiten Beginn war Tartaros, Nacht und des Erebos Dunkel und Chaos;

Luft, Himmel und Erde war nicht; da gebar und brütet' in Erebos' Schoße,
Dem weiten, die schattenbeflügelte Nacht das uranfängliche Windei;
Und diesem entkroch in der Zeit Umlauf der verlangen-entzündende Eros,
An den Schultern von goldenen Flügeln umstrahlt und bebend wie die wirbelnde Windsbraut.
Mit dem Chaos, dem mächtigen Vogel, gepaart, hat der in des Tartaros Tiefen
Uns ausgeheckt und heraufgeführt zu dem Lichte des Tages, die Vögel.
Noch war das Geschlecht der Unsterblichen nicht, eh nicht Eros alles vermischte.
Wie sich eins mit dem andern dann paarte, da ward der Okeanos, Himmel und Erde,
Die unsterblichen, seligen Götter all! – Und so sind wir erwiesenermaßen
Weit älter, als alle Unsterblichen sind! Denn dass wir von Eros gezeugt sind,
Ist sonnenklar: Denn wir fliegen wie er und gesellen uns gern den Verliebten.
Manch reizenden Knaben, der kalt sich verschloss, hat nah an der Grenze der Jugend
Durch unsre Gewalt der verliebte Freund noch gewonnen – durch Vogelpräsente:
Durch ein Perlhuhn oder ein Gänschen wohl auch, durch Wachteln und persische Vögel!
Was es Schönes auf Erden und Großes gibt, das verdanken uns alles die Menschen:
Wir verkünden die wechselnden Zeiten des Jahrs, den Frühling, den Sommer, den Winter:

Der Kranich mahnt euch zu säen im Herbst, wenn er krächzend nach Libyen wandert,
Und den Seemann zu hängen sein Steuer alsdann in den Rauch, um aufs Ohr sich zu legen.
Den Orestes heißt er sich weben ein Kleid, um im Frost es nicht stehlen zu müssen.
Kommt aber der Weih, so kündet er euch nach dem Winter die mildere Zeit an,
Wo die Frühlingswolle den Schafen ihr müsst abscheren; die zwitschernde Schwalbe
Erinnert euch dann, zu vertrödeln den Pelz und ein sommerlich Röckchen zu kaufen.
Kurz, Ammon sind wir und Delphi für euch und Dodona und Phoibos Apollon!
Stets wendet ihr euch an die Vögel zuerst, eh ihr eure Geschäfte besorget,
Als: Lohnarbeit und Kauf und Verkauf und Eheverlöbnis und Hochzeit.
Als Vogel betrachtet ihr alles, soviel beim Orakel irgend entscheidet:
Eine Stimme ist euch ein Vogel, und auch das Niesen heißt bei euch Vogel,
Ein Zeichen Vogel und Vogel ein Ruf und ein Knecht und ein Esel heißt Vogel.
Erkennt ihr es endlich und seht ihr in uns den leibhaftigen Seher Apollon;
Nun wohlan! Wofern ihr als Götter uns ehrt,
Weissagende Musen dann habt ihr für Wind
Und Wetter, für Sommer und Winter und Lenz
Und die Kühle des Herbsts! Wir entlaufen euch nicht,
Wir setzen uns nicht vornehm und bequem
In die Wolken hinauf so breit wie Zeus;
Aus traulicher Nähe verleihen wir euch,

Euch selbst samt Kindern und Enkeln, Gedeihn
Und Gesundheit und Segen und Frieden und Ruh
Und Vergnügen und Spaß und Jugend und Tanz
Und Hühnermilch! Ja ihr werdet's, ihr all,
Aushalten nicht mehr vor Vergnügen und Lust:
So werdet ihr schwimmen im Reichtum!

Strophe

Gesang mit Flötenbegleitung der Nachtigall:
Melodienreiche –
Tiorio tiotio tiotix!
Muse des Hains, mit der ich oft
In Tälern und hoch auf waldigen Bergen –
Tiotio tiotix!
Schaukelnd im schattigen Laube der Esche mein Lied –
Tiotio tiotix!
Aus der bräunlichen Kehl ausströme, den Pan
Feiernd mit heiligem Sang und die hehre,
Bergdurchschwärmende Mutter der Götter –
Tototo tototo totototix!
Dort, wo gleich der Biene schwärmend
Phrynichos einst sich gepflückt des Gesanges ambrosische
Frucht und gesammelt
Honigsüßen Wohllaut!
Tiotio tiotix!

An die Zuschauer:
Hat von euch Zuschauern etwa einer Lust, sein Leben froh
Mit den Vögeln hinzuspinnen, macht euch auf und kommt zu uns!
Denn was hierzulande schändlich und verpönt ist durchs Gesetz,
Das ist unter uns, den Vögeln, alles löblich und erlaubt.
Wenn es hier für Infamie gilt, seinen Vater durchzubleun,

Ei, bei uns, da gilt's für rühmlich, wenn der Sohn den Vater packt,
Tüchtig prügelt und noch auslacht: »Wehr dich, wenn du Sporen trägst!«
Ist bei euch gebrandmarkt einer als ein durchgebrannter Sklav,
Der erhält bei uns den Namen »buntgeflecktes Haselhuhn«;
Und wenn unter euch ein Myser etwa ist, wie Spintharos,
Der passiert bei uns als Meise, von Philemons Vetterschaft.
Wer ein Sklav ist und ein Karer, gleich dem Exekestides,
Mag mit uns als Gimpel leben, und da hat er Vettern genug.
Wer, wie Peisias' Sohn, Entehrten heimlich öffnen will das Tor,
Ein Zaunschlüpfer mag er werden, seines Vaters würd'ge Brut;
Denn bei uns – wer wird ihn schelten, wenn er durch die Zäune schlüpft?

Gegenstrophe

Gesang mit Flötenbegleitung der Nachtigall:

Und Schwäne stimmten –
Tiotio tiotio tiotix!
Lieder mit an und jauchzten laut,
Mit den Flügeln schlagend zum Preis des Apollon –
Tiorio tiotix!
Ruhend am Ufer, den flutenden Hebros entlang;
Tiotio tiotix!
Und es schwang ihr Gesang sich zum Äther empor:
Tiere des Waldes, sie lauschten und stutzten,
Windstille Heiterkeit löschte die Wogen –
Tototo tototo totototix!
Widerhallte der ganze Olympos,
Staunen ergriff auf dem Thron die Götter, die Grazien
Stimmten mit ein und
Musen in den Jubel!
Tiotio tiotix!

An die Zuschauer:
Nichts ist schöner, nichts bequemer, glaubt mir, als geflügelt sein!
Nehmt mal an, ihr hättet Flügel und gelangweilt fühlte sich
Ein Zuschauer hier, aus purem Hunger, durch ein Trauerspiel:
Nun, der flöge schnell nach Hause, nähm ein Gabelfrühstück ein,
Und mit vollem Magen käm er dann im Flug hierher zurück.
Wenn ein Patrokleides unter euch in Leibesnöten ist,
Braucht er's nicht ins Hemd zu schwitzen: »Platz, ihr Herrn!« – er flög davon,
Dampft sich aus, und wohlgelüftet kam er flugs hierher zurück.
Wenn – ich meine nur – in eurer Mitt ein Ehebrecher sitzt,
Und er sieht den Mann der Dame drunten auf der Ratsherrnbank,
Über euren Häuptern flög er auf der Liebe Schwingen weg;
Rasch verführte er die Frau und flöge gleich hierher zurück!
Flügel zu besitzen – kennt ihr, sagt es selbst, ein schöner Glück?
Hat Dieitrephes, der Flügel nur aus Flaschenbast besaß,
Doch zum Hauptmann, Reiteroberst sich erhoben, ist aus nichts
Nun ein großer Mann geworden, wie ein »Rosshahn« aufgebläht!

Aus dem Gebüsch springen Peithetairos und Euelpides, beide mit Flügeln ausgerüstet.

PEITHETAIROS: So ist das also!
EUELPIDES *lachend:* Aber nein, bei Zeus,
So spaßhaft hab ich doch noch nichts gesehn!
PEITHETAIROS: Was lachst du?
EUELPIDES *lachend:* Die improvisierten Flügel!
Du, weißt du, wem du gleichst mit deinen Federn?
PEITHETAIROS: Du jedenfalls 'ner schlecht gemalten Gans!
EUELPIDES: Du einer Amsel mit gerupftem Kopf!
PEITHETAIROS: So sind wir denn, nach Aischylos, jetzt Vögel,
»Durch fremdes nicht, durch eigenes Gefieder«.

CHOR: Was muss denn jetzt geschehn?
PEITHETAIROS: Vor allem geben
Der Stadt wir einen Namen, groß und prächtig!
Dann opfern wir den Göttern!
EUELPIDES: Auch meine Meinung!
Chor: Lasst sehn, wie nennen wir die Stadt denn gleich?
PEITHETAIROS: Wollt ihr was Großes, was Lakonisches?
Benennen wir sie Sparta?
EUELPIDES: Nein, da sei
Herakles vor! Wer spart da, wo es gilt,
Zu baun der Vögel stolze Residenz?
PEITHETAIROS: Nun, welchen Namen willst du denn?
EUELPIDES: Er muss
Hoch in die Wolken, in den Weltraum ragen –
Ein rechtes Maul voll!
PEITHETAIROS *nach einigem Besinnen plötzlich:*
Wolkenkuckucksburg?
CHOR: Iuh! Iuh! Ja, Wolkenkuckucksburg!
Prachtvoller Name, den du da gefunden!
EUELPIDES: Ist das dasselbe Wolkenkuckucksburg,
Wo so viel Land Theogenes besitzt
Und Aischines sein Erbgut?
PEITHETAIROS: Besser noch:
Dort liegt das Phlegrafeld, wo einst die Götter
Großmäulig die Giganten niedertrumpften!
CHOR: Ha, eine »fette« Stadt! Wer wird denn aber
Ihr Schutzpatron? Wem wirken wir den Peplos?
PEITHETAIROS: Ich denke, wir behalten die Athene!
EUELPIDES: Wie kann denn Ordnung sein in einer Stadt,
Wo eine Göttin steht, ein Weib, in Waffen
Bis an die Zähn' – und Kleisthenes am Webstuhl?
CHOR: Wer schirmt die Mauer, das Pelargikon?
PEITHETAIROS: Ein Vogel.

CHOR: Wer von uns?

PEITHETAIROS: Der persische,
Ein Vogel, weltbekannt als hitz'ger Degen,
Des Ares Küchlein!

EUELPIDES: Küchlein, hoher Gott,
Wie thronst du passend auf der Felsenzinne!

PEITHETAIROS *zu Euelpides:* Hör, Freund, du musst jetzt in die Luft hinauf!
Geh dort den Maurern an die Hand, zieh aus
Den Rock und trage Stein und rühre Kalk,
Den Kübel trag hinauf, fall von der Leiter
Herab, stell Wachen auf, hab acht aufs Feuer,
Geh mit der Schell herum und schlaf dabei,
Schick einen Herold zu den Göttern droben
Und an die Menschen drunten einen zweiten,
Und dann zurück, meinthalb, zu mir –

EUELPIDES *in den Bart murmelnd:* Und du
Bleib hier meinthalb und hole dich der –

PEITHETAIROS: Bester,
Tu, wie ich sag, es geht nicht ohne dich!
Euelpides ab.
Ich aber will den neuen Göttern opfern
Und zur Prozession den Priester rufen.
Zu den Sklaven: Weihwasser, Bursch, und bring den Opferkorb!
Während ein Vogelpriester auftritt, gefolgt von Sklaven mit einem Böckchen als Opfertier und Opfergerät:

Strophe

CHOR:
Ich bin dabei, steh zu Dienst,
Ja, den Vorschlag heiß ich gut,
Lasst uns in festlichem Zug den Göttern zu Ehren wallen!

Und ich denke, wir schlachten auch ihnen zum Danke
Ein Böckchen!
So töne, töne, töne pythischer Gesang!
Und pfeifen mag zum Lied auch Chairis!

Ein Rabe fängt an, Misstöne zu blasen.

PEITHETAIROS *zum Raben:* Hör auf zu blasen! Wetter, was ist das?
Beim Zeus, ich sah schon viel und närr'sche Dinge,
Doch einen Maulkorbflötenraben nie!
Zum Priester: Auf, Priester, opfre jetzt den neuen Göttern!

PRIESTER: Sogleich! Wo ist der Bursche mit dem Korbe?
Der Sklave mit dem Korb tritt vor den Priester, nimmt Fleisch usw. heraus.
Lasset uns beten:
Jetzt betet zur geflügelten Hestia und zum herdbeschirmenden Weihen,
Zu den olympischen Vögeln und Vögelinnen, zu jeder und jedem ...

PEITHETAIROS: Heil dir auf Sunion, Seeschwall-Beherrscher!

PRIESTER: ... und zum pythischen und zum delischen Schwan, zur Wachtelmutter Leto und zur Waldschnepfe Artemis ...

PEITHETAIROS: Waldfürstin einst, Waldschnepfe jetzt, erhör uns!

PRIESTER: ... und zu dem Spatzen Sabazios und zur Straußin, der großen
Mutter der Götter und der Menschen ...

PEITHETAIROS: ... und Kleokrits! Heil dir, Straußin Kybele!

PRIESTER: Verleiht den Wolkenkuckucksburgern Gesundheit und Segen, ihnen und den Chiern!

PEITHETAIROS *lachend:* Die Chier sind doch immer mit dabei!

PRIESTER: Betet auch zu den Vogelheroen und ihren Kindern, zum Strandreiter und zum Pelikan, zum Steißfuß und zur Kropfgans,

zum Perlhuhn und zum Pfauen, zum Kauz und zur Trappe,
zum Krabbentaucher, zum Reiher, zum Urubu und zum Luruku,
zur Blaumeise und zur Kohlmeise –

PEITHETAIROS: Zum Geier, schweig mit deinem: zumzumzum!
Schau doch das Opfer an, zu dem du Narr
Seeadler lädst und Falken! Siehst du nicht:
Ein einz'ger Weihe fräße das ja auf!
Geh fort mit deiner Priesterbinde, geh!
Ich will das Opfer schon allein verrichten.
Priester ab.

Gegenstrophe

CHOR:
So will ich ein ander Lied
Singen zur Besprengung denn
Mit heil'gem Wasser und laut und feierlich rufen die Götter –
Oder einen zum wenigsten, denk ich, wofern reicht
Das Futter!
Denn was an Opferstücken hier zu sehen ist,
Ist nichts als bloße Haut und Knochen!

PEITHETAIROS *betend und den Weihkessel schwingend:*
Lasst betend uns den Vogelgöttern opfern …

EIN BETTELPOET *langhaarig und zerlumpt, tritt auf und singt:*
Wolkenkuckucksburg, die beglückte
Stadt, preise mir, Muse,
Mit deiner Hymnen Gesängen …

PEITHETAIROS: Was kommt da für ein Wesen; Kerl, wer bist du?

POET *singt:*
Ich bin ein Honigsüßengesangausströmender,
Der Musen eifriger Diener –
Mit Homeros zu sprechen!

PEITHETAIROS: Wie kommst du denn als Knecht zu langem Haar?

POET:

Nicht doch! Wir alle, des Gesanges Meister,
Sind »der Musen eifrige Diener« –
Mit Homeros zu sprechen!

PEITHETAIROS: Dein Rock hat auch schon lang gedient: man sieht's!
Nun sprich, Poet, was Henkers führt dich her?

POET:

Ich hab auf euer Wolkenkuckucksburg
Viel Oden, Hymnen, Jungfraunchör' gedichtet,
Prachtvoll, im Stile des Simonides.

PEITHETAIROS: Wann hast du angefangen, die zu machen?

POET: Schon lang, schon lang besing ich eure Stadt!

PEITHETAIROS: Was, feir ich denn nicht just ihr Namensfest
Und sage, wie dies Kindlein heißen soll?

POET *singt:*

Aber geschwind eilet die Kunde der Musen,
Gleich wie ein Renner blitzend dahinfährt!
Du nun, o Vater, Gründer von Aitna,
Hieron, Name hochheiligen Klangs,
Mit bettelnder Geste: O, ich bitte dich, gib,
Was gnädig du geben willst
In deinem Herzen! O gib!

PEITHETAIROS: Der Kerl inkommodiert uns nur! Am besten,
Man gibt ihm was, so werden wir ihn los.
Zu seinem Sklaven: He du, du hast ja Rock und Lederwams,
Zieh's aus und gib's dem genialen Dichter!
Lässt sich das Wams geben.
Zum Poeten: Da, frostiger Geselle, nimm das Wams!

POET *es anziehend:*

Keineswegs ungern empfängt das Geschenk
Freundlich und hold die Muse;

Aber vernimm und beherzige jetzt
Dieses pindarische Lied!
PEITHETAIROS: Ich sehe schon, der geht noch nicht vom Platz!
POET: Unter nomadischem Skythenvolk
Irrt fern er vom Heer,
Der ein wollegewoben Gewand nicht sein nennt!
Ruhmlos geht ohne Leibrock das Wams –
Verstehe mich recht!
PEITHETAIROS: Versteh! Du willst ’nen Leibrock haben! – *Zum Sklaven:* Zieh
Ihn aus! Die Künstler muss man unterstützen!
Lässt sich den Rock geben.
Zum Poeten: Da nimm und geh jetzt!
POET: Ja, ich geh von hinnen!
Und komm ich in die Stadt, dann sing ich freudig:
Preis, o König auf goldenem Thron,
Preise die fröstelnde, schaudernde!
Zu dem schneeumwehten, pfadreichen Gefild
Schwang ich mich auf: Tralala!
PEITHETAIROS: Ei nun, du bist dem Schaudern doch entronnen,
Indem du hier zu Wams und Weste kamst!
Poet ab.
Zum Sklaven: Trag wieder den Weihkessel jetzt im Kreis! –
Andächt’ge Stille!
EIN WAHRSAGER *rennt herein, eine Buchrolle in der Hand:*
Opfre nicht den Bock!
PEITHETAIROS: Wer bist du?
WAHRSAGER: Ich? Ein Seher.
PEITHETAIROS: Geh zum Teufel!
WAHRSAGER: Tollkühner, spaße nicht mit Göttlichem! –
Hört einen Spruch von Bakis, der bezieht
Sich grad auf Wolkenkuckucksburg!
PEITHETAIROS: Warum

Hast du ihn nicht, eh ich die Stadt gebaut,
Verkündigt?
WAHRSAGER: Weil der Gott es mir verbot!
PEITHETAIROS: Es geht doch drüber nichts, den Spruch zu hören!
WAHRSAGER *entwickelt die Rolle und liest:*
»Aber wenn Wölfe dereinst und schwärzliche Krähen zusammen
Wohnen inmitten des Raums, der Sikyon trennt von Korinthos –«
PEITHETAIROS: Was gehn mich hier denn die Korinther an?
WAHRSAGER: Der Luftraum ist's, den Bakis angedeutet!
Liest weiter: »Opfre zuerst der Pandora den schneeweiß wolligen Widder;
Aber dem ersten sodann, der dir mein Orakel verkündet,
Schenke dem Seher ein schmuckes Gewand und neue Sandalen –«
PEITHETAIROS: Stehn die Sandalen drin?
WAHRSAGER: Da sieh ins Buch!
Liest: »Reiche den Becher ihm dar, und fülle mit Fleisch ihm die Hände –«
PEITHETAIROS: Steht auch vom Fleisch was drin?
WAHRSAGER: Da sieh ins Buch!
Liest: »Tust du nach meinem Gebot und folgst mir, o göttlicher Jüngling,
Wirst du ein Aar in den Wolken! Doch wenn du die Gabe verweigerst,
Wirst du nicht Fink und nicht Spatz, nicht Adler noch Falke noch Grünspecht!«
PEITHETAIROS: Das alles steht darin?
WAHRSAGER: Da sieh ins Buch!
PEITHETAIROS: Seltsam! Ganz anders lautet das Orakel,
Das ich bei Phoibos selbst mir aufgeschrieben.
Tut so, als läse er von seinem Stock ab:

»Aber wenn frech ein Gauner, ein ungebetner Schmarotzer,
Opfernde stört und begehrt von dem Opfer das Herz und die Leber,
Klopfe den Raum ihm durch, der die Schulter trennt von der Schulter!«

WAHRSAGER: Ein schaler Spaß von dir!

PEITHETAIROS: Da sieh ins Buch!
Liest: »Schone des Lästigen nicht noch des Adlers in Wolken, und wär's auch
Lampon oder sogar der große Prophet Diopeithes!«

WAHRSAGER: Steht alles das darin?

PEITHETAIROS: Da sieh ins Buch!
Und geh zum Henker! *Prügelt ihn.*

WAHRSAGER: Ich geschlagner Mann! *Ab.*

PEITHETAIROS: Nun lauf woanders hin und prophezeie!

METON *tritt auf mit geometrischen Instrumenten. Feierlich:*
Ich such euch auf –

PEITHETAIROS: Noch so ein Störenfried!
Was willst du hier? Was brütet dein Gehirn?
Was führt dich im Kothurnschritt her zu uns?

METON: Vermessen will ich euch das Land der Luft,
Und juchartweis verteilen –

PEITHETAIROS: Alle Wetter!
Wer bist du?

METON: Wer ich bin? Ich? Meton, den
Ganz Hellas und Kolonos kennt!

PEITHETAIROS: Sag an,
Was hast du da?

METON: Das Messzeug für die Luft!
Dozierend: Denn schau: die Luft ist an Gestalt durchaus
Backofenähnlich. Leg ich nun hier oben
Das Kurvenlineal an, setze dann
Den Zirkel ein – verstehst du?

PEITHETAIROS: Nicht ein Wort!
METON: Nun leg ich an das Lineal und bild
Ein Viereck aus dem Kreis, und in die Mitte
Da kommt der Markt, und alle Straßen führen
Schnurgerad zum Mittelpunkt und gehen wie Strahlen
Von ihm, als kugelrundem Stern, gradaus
Nach allen Winden –
PEITHETAIROS: Hört! Ein zweiter Thales!
Meton!
METON: Was gibt's?
PEITHETAIROS: Ich mein es gut mit dir;
Drum folge mir und mach dich aus dem Staub!
METON: Ist hier Gefahr?
PEITHETAIROS: Man treibt hier, wie in Sparta,
Die Fremden aus! Schon mancher ward verjagt,
Und Prügel regnet's in der Stadt! –
METON: Ein Putsch?
Rebellion?
PEITHETAIROS: Nicht doch!
METON: Was denn?
PEITHETAIROS: Einmütig
Beschlossen ist's, Windbeutel auszustäupen!
METON: So muss ich mich zurückziehn.
PEITHETAIROS: Leider ist's
Vielleicht zu spät! *Schlägt ihn.* Schon pfeift dir's um die Ohren!
METON: O weh, ich Armer! *Zieht ab.*
PEITHETAIROS: Hab ich's nicht gesagt;
Vermiss du jetzt woanders, du Vermessner!
Ein Kommissar tritt auf, zwei Abstimmungsurnen mitbringend:
Wo ist der Resident?
PEITHETAIROS: Wer ist denn dieser
Sardanapal!

KOMMISSAR: Der Kommissar, gewählt
Für Wolkenkuckucksburg.
PEITHETAIROS: Der Kommissar?
Wer schickt dich her?
KOMMISSAR: Der Wisch da, ausgefertigt
Von Teleas –
PEITHETAIROS: Ei, willst du nicht den Sold
Einstreichen gleich, dir Zeit und Mühe sparen
Und gehn?
KOMMISSAR: Ja, gern! Zur Volksversammlung sollt
Ich ohnehin, für Pharnakes zu wirken!
PEITHETAIROS *prügelt ihn:* So packe dich, da hast du deinen Sold!
KOMMISSAR: Was soll das?
PEITHETAIROS: Wirken soll's für Pharnakes!
KOMMISSAR: Man schlägt den Kommissar, ich rufe Zeugen!
PEITHETAIROS: Willst du dich schieben, du mit deinen Urnen?
Kommissar ab.
Ist's nicht empörend? Kommissare schicken
Sie in die Stadt, noch eh sie eingeweiht?
Gesetzesverkäufer tritt auf und liest aus einer riesigen Rolle:
»Und so ein Wolkenkuckucksburger einen Athener injuriert –«
PEITHETAIROS: Was ist das? Wieder so ein Schelmenbuch?
GESETZESVERKÄUFER: Gesetze hab ich feil, die allerneusten
Euch anzubieten kam ich her.
PEITHETAIROS: Zum Beispiel?
GESETZESVERKÄUFER:
»In Wolkenkuckucksburg soll gelten gleiches Maß und Gewicht und Recht wie zu Heulenburg!«
PEITHETAIROS *droht ihm mit dem Stock:*
Du kriegst dein Maß nach beulenburg'schem Recht!
GESETZESVERKÄUFER: Mir dieses?

PEITHETAIROS: Pack dich fort mit den Gesetzen,
Sonst lehr ich dich ein bitterböses kennen! *Prügelt ihn.*
Der Kommissar kommt zurück mit einem Zeugen:
Den Peithetairos lad ich wegen Realinjurien
vor auf den Monat Munichion!

PEITHETAIROS: Du? Alle Wetter! Bist du auch noch da? *Prügelt ihn.*

GESETZESVERKÄUFER: »So aber jemand Staatspersonen nicht respektiert
und fortjagt, der, laut Anschlag an der Säule –«

PEITHETAIROS: Das ist zum Bersten! So, auch du noch da?
Gesetzesverkäufer flieht.

KOMMISSAR: Wart nur! Zehntausend Drachmen sollst du mir –

PEITHETAIROS: Ich werf die Urnen dir in tausend Scherben!

GESETZESVERKÄUFER: Denkst du daran, wie nachts du an die Säule –

PEITHETAIROS: Haha! Nun packt ihn! Willst du halten, Schurke?
Gesetzesverkäufer und Kommissar ab.
Zum Sklaven: Nun lasst uns aber unverzüglich gehn
Und drin im Haus den Bock den Göttern opfern! *Ab.*

Zweite Parabase

Strophe

CHOR: Gelübde und Opfer weihen
Dem Allsehendallgewalt'gen, mir.
Die Sterblichen nun alle.
Denn den Erdball überschaue ich
Und schirme Blut und Früchte;
Alle Arten Ungeziefer
Rott ich aus, das jeden Fruchtkeim,
Wie er aufschießt aus der Knospe, mit gefräß'gem Zahn benagt,

Auf den Bäumen sitzt und frisst, bis sie abgeleert und kahl.
Ich töte alles, was zerstört,
Die duft'gen Gärten roh verdirbt;
Das Gewürm, was auch immer kreucht und beißt,
Ist des Tods, so weit der Schwung meiner Fittiche mich trägt!

An die Zuschauer:
Eben heut wird durch den Herold öffentlich bekanntgemacht:
»Wer Diagoras, den Melier, totschlägt, der bekommt dafür
Ein Talent; und wer der toten Volkstyrannen einen noch
Toter schlagen wird, auch dieser soll bekommen ein Talent!«
Wir nun unsrerseits, wir machen öffentlich bekannt, wie folgt:
»Wer Philokrates, den Vogler, totschlägt, der erhält zum Lohn
Ein Talent, und wer sogar ihn uns lebendig liefert: vier;
Weil er Finken reiht auf Schnüre und für einen Obolos
Sieben gibt und Drosseln scheußlich aufbläst und zu Markte bringt
Und den Amseln ihre Federn in die Nasenlöcher steckt;
Item, weil er freie Tauben fängt und in Verschlage sperrt
Und sie, selbst gebunden, andre in das Garn zu locken zwingt!«
Solches tun wir euch zu wissen! Wer Geflügel hält im Hof
Eingeschlossen, fliegen lassen soll er's! So gebieten wir!
Und gehorcht ihr nicht, dann fangen wir, die Vögel, euch: auch ihr
Sollt alsdann bei uns gebunden Menschen locken in das Garn!

Gegenstrophe

O glücklich Volk in Federn,
Wir Vögel, die im Winter nicht
In Mantel sich hüllen müssen;
Auch sengt uns nicht des Sommers
Der glühende Strahl der Sonne!
Auf Blumenmatten wohn ich
Im Schoße grüner Blätter,

Während auf dem Feld ihr Lied die Zikade, gotterfüllt,
In der Mittagsschwüle Glut, sonnetrunken, schrillend zirpt.
Des Winters wohn in Grotten ich
Und spiel mit Nymphen im Gebirg;
Und im Frühling naschen jungfräuliche,
Weiße Myrtenbeeren wir und der Grazien Gartenfrucht.

An die Zuschauer:
Noch ein Wort, des Preises wegen, an die Richter richten wir:
Krönt ihr uns: Jedwedem schenken wir des Guten Fülle dann;
Zehnmal schönre Gaben werden euch, als Paris einst empfing,
Niemals soll es – was bekanntlich Richtern über alles geht –,
Niemals euch an lauriot'schen Eulen fehlen; ja, sie baun
Dann ihr Nest bei euch und hecken, legen in den Beutel euch
Eier, und als Küchlein schlüpfen lauter junge Dreier aus.
Ferner sollt ihr wie in Tempeln wohnen, denn wir setzen euch
Auf die Giebel eurer Häuser einen Adler obenauf.
Fällt durchs Los euch zu ein Ämtchen und ihr sacktet gern was ein,
Spielen wir euch an die Hände eines Habichts flinke Klaun.
Esst ihr wo zu Gaste, geben wir euch Vogelkröpfe mit. –
Aber wollt ihr uns nicht krönen, setzt dann nur Blechhauben auf
Wie die Statuen, und jeder unter euch, der keine trägt,
Wird gerad, wenn er im weißen Mantel prangt, wie er's verdient,
Vom gesamten Volk der Vögel überkleckert um und um!

PEITHETAIROS: Das Opfer lief uns günstig ab, ihr Vögel! –
Doch dass vom Mauerbau kein Bote noch
Uns Meldung bringt, wie's droben steht? – Doch sieh,
Da kommt olympisch keuchend einer schon!
Ein Vogel tritt auf als Bote.
BOTE *keuchend:* Wo wo ist, wo wo wo ist, wo wo ist
Der Archon Peithetairos?
PEITHETAIROS: Hier bin ich!

BOTE: Die Mauer ist gebaut!
PEITHETAIROS: Willkommene Botschaft!
BOTE: Ein Wunderwerk von kolossaler Pracht,
So breit, dass drauf Proxenides aus Prahlheim
Und Held Theogenes mit zwei Karossen
Und Pferden wie's trojanische bequem
Sich wohl begegnen könnten!
PEITHETAIROS: Herakles!
BOTE: Die Höh – »ich hab sie selber ausgemessen« –
Ist hundert Klafter!
PEITHETAIROS: Hoch, erstaunlich hoch!
Wer hat denn dieses Riesenwerk erbaut?
BOTE: Die Vögel! – Kein ägyptischer Ziegler half,
Kein Zimmermann, kein Steinmetz! – Sie allein
Mit eigner Hand vollbrachten's! Staunend sah ich's:
Es kamen dreißigtausend Kraniche
Aus Libyen, mit Grundsteinen in den Kröpfen,
Die von den Schnärzen dann behauen wurden;
Backsteine lieferten zehntausend Störche,
Und Wasser trugen in die Luft hinauf
Die Taucher und die andern Wasservögel.
PEITHETAIROS: Wer trug den Lehm denn ihnen zu?
BOTE: Die Reiher,
In Kübeln.
PEITHETAIROS: Und wie füllten sie sie denn?
BOTE: Gar sinnreich, Bester, stellten sie das an!
Die Gänse patschten, mit den Füßen schaufelnd,
Drin rum und schlenkerten ihn in die Kübel.
PEITHETAIROS: »Was alles doch die Füße nicht vermögen!«
BOTE: Ja selbst die Enten schleppten, hochgegürtet,
Backstein'; und hoch hinauf, mit Kellen hinten
Am Rücken wie Lehrbuben und die Schnäbel
Voll Lehm – so kamen Schwalben angeflogen.

PEITHETAIROS: Wer wird jetzt noch zum Baun Taglöhner dingen? –
Doch sag, wer hat die Zimmerarbeit denn
Gemacht?
BOTE: Die Zimmerleute waren Vögel,
Geschickte Tannenpicker, die behackten
Das Holz zu Flügeltüren, und das pickte
Und sägt' und hämmerte wie auf der Schiffswerft.
Und nun ist alles wohlverwahrt mit Toren,
Mit Schloss und Riegel und rundum bewacht,
Patrouillen ziehn herum, die Glocke schellt,
Wachtposten überall und Feuerzeichen
Auf allen Türmen! – Doch nun muss ich gehn,
Mich abzuwaschen! Sorge du jetzt weiter! *Ab.*
CHOR *zu Peithetairos:* Du, nun, was ist dir? Staunst du, dass die Mauer
Mit solcher Schnelligkeit zustande kam?
PEITHETAIROS: Bei allen Göttern, ja, es ist zum Staunen!
Es sieht in Wahrheit aus wie eine Lüge! –
Ein zweiter Vogelbote eilt herbei.
Doch sieh, da stürzt ein Wächter von der Höh
Grad auf uns zu, mit Waffentänzerblicken!
ZWEITER BOTE: O weh, o weh, o weh, o weh, o weh!
PEITHETAIROS: Was gibt's?
BOTE: Entsetzliches ist vorgefallen!
Der Götter einer, von dem Hof des Zeus,
Flog eben ein durchs Stadttor in die Luft,
Von unsrer Dohlenwache unbemerkt!
PEITHETAIROS: »Abscheulicher, verruchter Frevler! Ha!«
Wer ist der Gott?
BOTE: Wir wissen nichts als nur:
Er hatte Flügel!

PEITHETAIROS: Und ihr verfolgtet ihn
Nicht gleich mit Grenzbereitern?
BOTE: Doch! Wir schickten
Gleich dreißigtausend Falken, reisige Jäger,
Ihm nach: was Krallen hat, ist ausgerückt,
Turmeule, Bussard, Geier, Weih und Adler;
Vom Flügelschwirren, Kreischen, Rauschen dröhnt
Die Luft, sie alle fahnden nach dem Gott.
Fern ist er nicht, er steckt wohl hier herum
Schon irgendwo! *Ab.*
PEITHETAIROS: Zur Schleuder greift, zum Bogen!
Es wappne sich die ganze Dienerschaft!
Hierher! Legt an! Mir eine Schleuder! Schießt!
Getümmel.

Strophe

CHOR:
Krieg! Zu den Waffen, auf! Krieg, blutig, unerhört,
Erhob ich wider die Götter! Auf, schließt mit Wachen ein
Rund den umwölkten Raum, Erebos' Kind, die Luft.
Dass nicht der Gott uns hier durchschlüpfe im Luftrevier!

Schaut all euch um, und passt wohl auf! Er schwebt
Schon in der Näh herum, der Gott! Zu hören
Ist schon das Rauschen seines Flügelschlags!
Die geflügelte Götterbotin Iris fliegt, an dem Theaterkran schwebend, mit wehendem Gewand herab.
PEITHETAIROS: He, Jüngferchen, wo fliegst du hin? Nur sacht!
Halt stille! Rühr dich nicht! Ich sag dir: Halt!
Wer bist du, he? Woher, wo kommst da her?
IRIS: Ich komme von den Göttern des Olymp.
PEITHETAIROS: Wie nennst du dich denn? Schlapphut oder Segler?

IRIS: Iris, die schnelle Botin!
PEITHETAIROS: So? ein Segler?
Salaminia oder Paralos?
IRIS: Was meinst du?
PEITHETAIROS: Geht denn kein Stößer auf sie los?
IRIS: Auf mich?
Was soll das heißen?
PEITHETAIROS: Dir wird's übel gehen!
IRIS: Bist du verrückt?
PEITHETAIROS: Zu welchem Tor der Festung
Bist du hereingekommen, freche Dirne?
IRIS: Durch welches Tor? Bei Zeus, das weiß ich nicht!
PEITHETAIROS *zum Chor:* Hört, wie sie schnippisch tut! *Zu Iris:*
Warst du denn auf
Der Dohlenhauptwacht? He? Ließt du den Pass
Dir auf der Storchenpolizei visieren?
IRIS: Welch Unsinn!
PEITHETAIROS: Nicht?
IRIS: Bist du bei Trost?!
PEITHETAIROS: So drückte
Kein Vogelhauptmann dir 'nen Stempel auf?
IRIS: Du Narr, wer hätte mir was aufgedrückt!
PEITHETAIROS: So, so! Du fliegst da nur so mir nichts, dir nichts
Durch fremdes Stadtgebiet, durch unsre Luft?
IRIS: Wo durch denn sollen sonst die Götter fliegen?
PEITHETAIROS: Das weiß ich nicht, bei Zeus! Hier aber nicht!
Straffällig bist du jetzt, und weißt du auch,
Dass wohl von sämtlichen Irissen keiner
Mehr recht geschah als dir, wenn wir dich henkten?
IRIS: Ich bin unsterblich!
PEITHETAIROS: Sterben müsstest du
Trotzdem! Das wär ja gar zu toll, wenn wir,
Die Herrn der Welt, euch Götter machen ließen,

Was euch gelüstet! Merkt's einmal: die Reih
Ist nun an euch, dem Stärkern zu gehorchen!
Inzwischen sag, wo steuerst du jetzt hin?
IRIS: Ich? Zu den Menschen schickt mich Vater Zeus!
Ich soll sie mahnen, den olymp'schen Göttern
»Zu opfern Schaf und Ochsen und die Straßen
Mit Fettdampf anzufüllen« –
PEITHETAIROS: Welchen Göttern?
IRIS: Wem? Uns, den Göttern, die im Himmel thronen!
PEITHETAIROS: Ihr – Götter?
IRIS: Welche Götter gibt's denn sonst?
PEITHETAIROS: Die Vögel sind jetzt Götter! Ihnen müssen
Die Menschen opfern, nicht, bei Zeus, dem Zeus.
IRIS *tragisch:* Tor, frevler Tor, erwecke nicht den Grimm
Der Götter, dass nicht »Dike dein Geschlecht
Ausreute mit dem Rachekarst des Zeus«
Und mit »likymnischen Glutblitzen dich
Und deines Hauses Zinnen niederäschre«!
PEITHETAIROS: Du, hör jetzt auf, den Schwall mir vorzusprudeln!
Glaubst du, du hast 'nen »Lyder oder Phryger«
Vor dir, den solcher Kinderpopanz schreckt?
Ich sag dir: Wenn mich Zeus noch weiter ärgert,
Werd Ich sein Marmorhaus, »Amphions Hallen
Durch blitzetragende Adler niederäschern«!
Porphyrionen schick ich in den Himmel
Nach ihm, beschwingte, parderfellumhüllte,
Mehr als sechshundert; hat ihm doch ein einz'ger
Porphyrion schon heiß genug gemacht!
Dich, Zofe, krieg ich, wenn du mich noch reizt,
Zuerst am Bein und spreize dir die Schenkel,
Der Iris, dass sie staunen soll, wie rüstig
Ich alter Mann noch Stoß auf Stoß versetze!

IRIS: Erstick an deinen Worten, Niederträcht'ger!
PEITHETAIROS: Hinaus mit dir! Husch, husch! Hinaus! Husch, husch!
IRIS *fortfliegend:* Mein Vater wird die Frechheit dir vertreiben!
PEITHETAIROS: O weh, ich Armer! Flieg woandershin
Und brenn und äschre jüngre Leute nieder!

Gegenstrophe

CHOR:
Ja, wir verkünden euch Göttern von Zeus' Geblüt:
Dass ihr durch unsre Stadt nie zu passieren wagt!
Keiner der Sterblichen sende vom Opferherd
Den Göttern durch dies Land mehr Rauch und Bratenduft!

PEITHETAIROS: Seltsam: der Herold, den wir an die Menschen
Gesandt, er ist noch immer nicht zurück!
EIN VOGEL *tritt auf als Herold, einen goldenen Kranz in der Hand:*
O Peithetairos, o du Glücklichster,
Du Klügster, Weisester, Gepriesenster,
O dreimal Sel'ger, o – *(als Schauspieler, leise:)* Sag doch was!
PEITHETAIROS: Was gibt's?
HEROLD: Dich schmücken, deine Weisheit tief anbetend,
Mit diesem goldnen Kranz des Erdballs Völker. *Überreicht ihn.*
PEITHETAIROS: Schön Dank! Allein wie komm ich zu der Ehre?
HEROLD: Der weltberühmten Luftstadt hoher Gründer!
So weißt du nicht, wie dir die Menschen huld'gen.
Wie viel Verehrer du im Lande hast?
Eh du die neue Stadt gebaut, war alles
Spartanomane, ging mit langem Haar,
War schmutzig, hungerte, trug Knotenstöcke,
Sokratisierte: jetzt dagegen gibt's
Ornithomanen nur, und alles äfft

Mit wahrer Herzenslust die Vögel nach;
Gleich morgens fliegen aus dem Federbett
Sie aus wie wir zu ihrem Leib-Gericht,
Dann lassen auf Buchblättern sie sich nieder
Und weiden sich an fetten – Volksbeschlüssen.
So vogelmanisch sind sie ganz und gar,
Dass viele jetzt schon Vogelnamen tragen:
Rebhuhn, zum Beispiel, heißt der hinkende
Weinschenk; Menippos: Schwalbe; Rabe heißt
Opuntios, das Einaug, und Fuchsente Theogenes;
Schopflerche heißt Philokles;
Lykurgos: Ibis; Syrakosios
Heißt Elster; Chairephon: die Fledermaus,
Und Meidias dort
Nach den Zuschauerbänken deutend:
die Wachtel; denn er gleicht
Ihr ganz, wenn sie im Spiel Kopfnüsse kriegt.
Auch ihre Lieder all sind vogeltümlich,
Und Schwalben sind in allen angebracht,
Krickenten, Gänschen, Turteltäubchen, immer
Geflügel oder doch ein wenig Federn. –
So steht es dort! Nur dieses noch: Es kommen
Mehr als zehntausend gleich von unten her.
Die wollen modische Klaun und Flügel: Schafft
Drum Federn an für all die Kolonisten!

PEITHETAIROS: Potz Zeus, da dürfen wir nicht müßig stehn!
Zum Herold: Du, lauf hinein und fülle Körb und Kübel
Und Fässer an mit Federn! *Herold ab.* Manes soll
Spedieren dann die Flügel hier vors Haus!
Und ich empfange hier die werten Gäste.

Strophe

CHOR *während Sklaven Kübel voll Federn herausschaffen:*
Ganz gewiss wird bald als »männerreich« diese Stadt
Gepriesen auf Erden!
Glück zu! Es mag gelingen!
Sie schwärmen ja förmlich für unsre Stadt!

PEITHETAIROS *zum Sklaven:*
Wie langsam! Mach doch schneller!
CHOR: Denn was könnten hier Gutes
Einwandrer vermissen,
Wo die Weisheit, die Liebe, ambrosische Lust
Und behagliche Ruhe mit heitrem Gesicht
Uns stets entgegenlächeln?

PEITHETAIROS *zum Sklaven:*
Wie träg du bist, wie lendenlahm, willst du dich rühren,
Schlingel?

Gegenstrophe

CHOR:
Einen Korb voller Federn bringe man rasch herbei!
Du mach dem Kerl Füße
Mit deiner Peitsche! Hurtig!
Er schlendert so lahm wie ein Esel daher!
PEITHETAIROS: Faul ist und bleibt der Manes!
CHOR: Nun sortiere die Federn
Und leg sie in Ordnung,
Die prophetischen hier, die melodischen da
Und die schwimmenden dort! Psychologischen Blicks
Verteilst du dann die Federn!

PEITHETAIROS *zum Sklaven:* Beim Schuhu! Länger seh ich's nicht mit an:
Die Peitsche schwingend: Ich helf euch auf die Beine, faules Pack!

Ein ungeratener Sohn tritt auf und singt:
»O wär ich ein Adler in Lüften hoch
Und trügen mich über das wüste Gefild
Des blauen Meeres die Schwingen!«

PEITHETAIROS: Ich seh, der Herold war kein Lügenherold!
Da kommt schon einer, der von Adlern singt.

UNGERATENER SOHN: Nichts Süßres gibt es auf der Welt als Fliegen!
Ich bin ganz vogeltoll, ich flieg, ich brenne,
Bei euch zu sein, nach eurem Brauch zu leben!

PEITHETAIROS: Nach welchem? Unsrer Bräuche sind gar viel!

UNGERATENER SOHN: Nach allen, doch vor allen lob ich mir
Den, dass man seinen Vater schlägt und beißt.

PEITHETAIROS: Nun ja, wir halten's für Bravour an Jungen,
Wenn sie als Küken ihren Vater schlagen!

UNGERATENER SOHN: Drum möcht ich, naturalisiert bei euch,
Erwürgen meinen Vater und beerben.

PEITHETAIROS: Gut! Doch wir Vögel haben ein Gesetz,
Uralt, im Storchenkodex aufbewahrt:
»Wenn seine Jungen, bis sie flügge sind,
Ein Storchenvater nährt und pflegt, dann sollen
Dafür die Jungen ihren Vater pflegen!«

UNGERATENER SOHN: Das lohnte schön die Müh hierherzukommen,
Wenn ich den Vater auch noch füttern soll!

PEITHETAIROS: Nun, nun! – Weil du doch guten Willen zeigst,
Will ich als Waisenvogel dich befiedern.
'Nen guten Rat, mein Junge, geb ich dir

Darein, den ich als Knabe mir gemerkt:
Schlag deinen Vater nicht! Da nimm den Flügel
Und hier den Hahnensporn, und diesen Busch
Nimm für ’nen Hahnenkamm,
Gibt ihm Schild, Schwert und Helm:
und zieh ins Feld,
Steh Wache, schlag dich durch mit deiner Löhnung!
Lass deinen Vater leben! – Willst du kämpfen,
Flieg hin nach Thrakien und kämpfe dort!

UNGERATENER SOHN: Ja, bei Dionysos, nicht der schlimmste Rat!
Ich folge dir! *Ab.*

PEITHETAIROS: Das wird das Klügste sein!

KINESIAS *spindeldürr, tritt auf und singt:*
»Auf zum Olymp feurigen Schwungs flieg ich mit flücht’gem Fittich!«
Vagabundisch flieg ich stets auf anderen Bahnen des Lieds –

PEITHETAIROS: Das Wesen braucht allein ’ne Ladung Federn!

KINESIAS *singt:*
Und das Neue stets such ich, stark so am Geist wie am Leib!

PEITHETAIROS: Du da, Kinesias, so leicht wie Lindenholz!
Was schwebelt hier dein Säbelbein herum?

KINESIAS *singt:*
Ein Vöglein möcht ich gerne sein, die melodische Nachtigall!

PEITHETAIROS: Nun lass das Trillern! Sprich in schlichten Worten!

KINESIAS: Von dir beflügelt, möcht ich hoch mich schwingen
Und aus den Wolken mir schneeflockenduft’ge,
Windsbrautumsauste Dithyramben holen.

PEITHETAIROS: Wer wird sich aus den Wolken Lieder holen?

KINESIAS: An diese knüpft sich unsre ganze Kunst!
Ein Dithyramb, ein glänzender, muss luftig,
Recht dunkel, neblig nachtblauglänzend sein
Und fittichgeschüttelt – etwa so – vernimm!

PEITHETAIROS: Bedanke mich!
KINESIAS: Beim Herakles, doch, du musst!
Die ganze Luft werd ich dir gleich durchfliegen:
Singt: Gebilde gefiederter,
Luftdurchsteuernder,
Halsaustreckender Vögel –
PEITHETAIROS: O hop, halt ein!
KINESIAS: Wohl über die wallenden Wogen
Wie Windeswehn wünsch ich zu wandeln –
PEITHETAIROS: Wart, Wicht, den Winden weisen wir den Weg!
Packt ihn, hebt ihn hoch und dreht ihn rechts und links herum.
KINESIAS *singt dazu:*
Bald gegen den Süd hinsteuernd und bald
In des Boreas Kühle die Glieder getaucht.
Des Äthers hafenlose Furche durchschneidend –
Sprechend: Sehr artig, Alter, muss gestehn, recht fein!
PEITHETAIROS *reißt ihn herum und schüttelt ihn:*
So »fittichgeschüttelt« – bist du nicht zufrieden?
KINESIAS: Das tust du mir, dem Dithyrambenmeister,
Um den die Stämme jedes Jahr sich reißen?
PEITHETAIROS: Hör, willst du, schmächt'ger Leotrophides,
Hier bleiben und 'nen Vogelchor einüben
Für den Kekropenstamm?
KINESIAS: Du spottest mein!
Ich aber sag dir: Ruhen werd ich nicht,
Bis ich beflügelt durch die Lüfte schwebe. *Ab.*

Ein Sykophant tritt auf, sehr zerlumpt; singt:
Was für Vögel sind das, buntflügelig, sonst aber bettelarm?
Sprich, du flügelausreckende, bunte Schwalbe!
PEITHETAIROS: Nun kommt die schwere Not uns auf den Hals!
Da gluckst und überläuft uns wieder einer.

SYKOPHANT *singend:* Noch einmal flügelausreckende, bunte –
PEITHETAIROS: Der, scheint es, spielt auf seinen Mantel an:
Der braucht wohl mehr als einer Schwalbe Flaum.
SYKOPHANT: Wer sorgt hier für Befiederung der Fremden?
PEITHETAIROS: Der Mann bin ich! Was steht zu Dienst? Sag an!
SYKOPHANT *pathetisch:* »Bring Flügel, Flügel! Frage weiter nicht!«
PEITHETAIROS: Du denkst wohl nach Pellene hinzufliegen?
SYKOPHANT: O nein, ich bin Gerichtsbote auf den Inseln
Herum und Sykophant –
PEITHETAIROS: Ein schönes Amt!
SYKOPHANT: Prozessaufspürer! Um von Stadt zu Stadt
Zitierend mich zu schwingen, brauch ich Flügel.
PEITHETAIROS: Geht das Zitieren denn mit Flügeln besser?
SYKOPHANT: O nein, es ist nur der Piraten wegen!
Und heim dann kehr ich mit den Kranichen,
Statt mit Ballast den Kropf gefüllt mit – Klagen!
PEITHETAIROS: Das ist dein Handwerk also! Noch so jung
Und schon Spion und Sykophant auf Reisen?
SYKOPHANT: Was soll ich machen? »Graben kann ich nicht.«
PEITHETAIROS: Es gibt, bei Gott, doch ehrliche Gewerbe,
Von denen sich ein Mensch in deinem Alter
Ernähren sollt, und nicht vom Händelstiften!
SYKOPHANT: Salbader! Flügel brauch ich, nicht Moral!
PEITHETAIROS: Mit meinem Wort beflügl' ich dich!
SYKOPHANT: Wie soll mich
Dein Wort beflügeln?
PEITHETAIROS: Ei, durch Worte macht
Man jedem Flügel!
SYKOPHANT: So?
PEITHETAIROS: Hast du denn nie
Gehört, wie Väter in den Baderstuben
Von jungen Leuten manchmal also sprachen:

»Gewaltig hat Dieitrephes meinen Jungen
Beflügelt durch sein Wort – zum Pferderennen!«
Ein andrer meint, der seine werd beflügelt
Vom Trauerspiel und fliege hoch hinaus.

SYKOPHANT: So konnten Worte Flügel geben?

PEITHETAIROS: Freilich!
Durch Worte schwingt der Genius sich auf,
Der Mensch erhebt sich! – Und so will auch ich
Mit wohlgemeinten Worten dich beflügeln
Zur Ehrlichkeit –

SYKOPHANT: Das willst du? – Ich will nicht!

PEITHETAIROS: Was willst du denn?

SYKOPHANT: Nicht schänden mein Geschlecht!
Ererbt hab ich das Sykophantenhandwerk!
Drum gib mir schnelle, leichte Fittiche,
Vom Habicht oder Falken, dass die Fremden
Ich herzitieren, hier verklagen kann
Und dann ausfliegen abermals –

PEITHETAIROS: Verstehe!
Du meinst: Gerichtet soll der Fremde sein,
Noch eh er hier ist?

SYKOPHANT: Völlig meine Meinung!

PEITHETAIROS: Er schifft hierher, indes du dorthin fliegst,
Um sein Vermögen wegzukapern?

SYKOPHANT: Richtig!
Flink wie ein Kreisel muss das gehn!

PEITHETAIROS: Verstehe!
Ganz wie ein Kreisel! – Ei, da hab ich eben
Charmante Flügel Marke Kerkyra! *Zeigt ihm die Peitsche.*

SYKOPHANT: Au weh, die Knute?

PEITHETAIROS: Schwingen sind's, mit denen
Du mir hinschwirren sollst flink wie ein Kreisel! *Peitscht ihn durch.*

SYKOPHANT: Au, Au!

PEITHETAIROS: So fliege doch, Halunke, fliege!
Erzgauner, tummle dich, frischauf! – Ich will
Die Rechtsverdreherpraxis dir versalzen!
Sykophant ab.
Zu den Sklaven: Nun packt die Federn ein! Wir wollen gehen!
Ab.

Strophe

CHOR:
Viel des Neuen, Wunderbaren
Haben wir auf unserm Flug
Schon gesehn! Vernehmt und staunt:
Aufgeschossen, fern von Herzberg,
Ist ein seltsam fremder Baum, und
Dieser heißt: Kleonymos.
Ist im Grund zu nichts zu brauchen,
Aber feige sonst und groß.
Sykophantenfrüchte trägt er
Stets im Frühling, üppig sprießend,
Aber nackt im Wintersturme
Wirft er – seinen Kriegsschild ab.

Gegenstrophe

In der lampenlosen Wüste,
Bei der schwarzen Finsternis
Nah gelegen ist ein Land,
Allda schmausen und verkehren
Menschen mit Heroen immer
Früh, doch spät am Abend nicht!
Denn geheuer ist es nicht mehr
Ihnen zu begegnen nachts:
Würd ein Sterblicher dem Heros

Da begegnen, dem Orestes,
Schwer vom Schlag getroffen würd er,
Ausgezogen bis aufs Hemd!

Prometheus vermummt, einen Sonnenschirm in der Hand, ängstlich um sich blickend: Ach Gott, ach Gott, dass Zeus mich nur nicht sieht! –
Wo ist der Peithetairos?
PEITHETAIROS *kommt heraus:* He, was soll
Der Mummenschanz?
PROMETHEUS: Pst! Siehst du einen Gott
Da hinter mir?
PEITHETAIROS: Bei Zeus, ich sehe nichts. –
Wer bist du?
PROMETHEUS: Welche Zeit ist's wohl am Tag?
PEITHETAIROS: Wie spät? Ich denk: ein wenig über Mittag! –
Wer bist du denn?
PROMETHEUS: Schon Feierabend? Oder?
PEITHETAIROS: Nun wird mir's bald zu toll!
PROMETHEUS: Was macht wohl Zeus?
Klärt er den Himmel auf? Umwölkt er ihn?
PEITHETAIROS: Zum Henker –
PROMETHEUS: Nun, so will ich mich enthüllen! *Tut es.*
PEITHETAIROS: Prometheus, Teurer!
PROMETHEUS: Schrei doch nicht so laut!
PEITHETAIROS: Was hast du?
PROMETHEUS: Nenne meinen Namen nicht!
Es ist mein Tod, wenn Zeus mich hier erblickt. –
Nun lass dir sagen, wie's da oben steht.
Nimm hier den Sonnenschirm und halte mir
Ihn über, dass die Götter mich nicht sehn!

PEITHETAIROS: Haha, haha!
Echt prometheisch, sinnreich vorbedacht! *Macht den Schirm auf.*
So, stell dich drunter, sprich und fürcht dich nicht!
PROMETHEUS: Nun hör einmal!
PEITHETAIROS: Ich bin ganz Ohr.
PROMETHEUS: Mit Zeus
Ist's aus!
PEITHETAIROS: Ist's aus? Der Tausend! Und seit wann?
PROMETHEUS: Seitdem ihr in der Luft euch angebaut!
Den Göttern opfert keine Seele mehr
Auf Erden, und kein Dampf von fetten Schenkeln
Steigt mehr zu uns empor seit dieser Zeit.
Wir fasten wie am Thesmophorenfest,
Kein Altar raucht, und die Barbarengötter
Schrein auf vor Hunger, kreischen auf illyrisch
Und drohn, den Zeus von oben zu bekriegen,
Wenn er kein Ende macht der Handelssperre
Und freie Einfuhr schafft dem Opferfleisch!
PEITHETAIROS: Gibt's denn Barbarengötter auch da oben
Noch über euch?
PROMETHEUS: Barbaren freilich, wie
Der Schutzpatron des Exekestides.
PEITHETAIROS: Wie heißen die Barbarengötter denn
Mit Namen?
PROMETHEUS: Wie? »Triballer!«
PEITHETAIROS: Ich versteh:
Ihr Zorn trieb allen Göttern Angstschweiß aus!
PROMETHEUS: So ist's! Nun aber lass noch eins dir sagen:
Gesandte kommen bald zur Unterhandlung
Hier an von Zeus und den Triballern droben!
Lasst euch nicht ein mit ihnen, wenn nicht Zeus

Das Zepter wieder abtritt an die Vögel
Und dir Basileia zum Weibe gibt.
PEITHETAIROS: Wer ist denn die Basileia?
PROMETHEUS: Ein Mädchen,
Blitzschön, und hat zum Donnern das Geschoss
Des Zeus, die ganze Wirtschaft unter sich,
Recht, Politik, Gesetz, Vernunft, Marine,
Verleumdung, Staatsschatz, Taglohn und Besoldung!
PEITHETAIROS: So verwaltet sie denn alles?
PROMETHEUS: Wie ich sage!
Bekommst du sie von ihm, dann hast du alles!
Drum bin ich hergekommen, dir's zu sagen:
Denn stets bin ich den Menschen wohlgesinnt.
PEITHETAIROS: O ja, wir backen Fisch' an deinem Feuer.
PROMETHEUS: Du weißt, voll Götterhass ist meine Brust.
PEITHETAIROS: Bei Zeus, seit je warst du ein Götterhasser!
PROMETHEUS: Ein wahrer Timon! Doch jetzt fort! Den Schirm
Gib mir, dass Zeus, wenn er heruntersieht,
Mich für 'ner Festkorbträg'rin Diener hält. *Ab.*
PEITHETAIROS, *ihm nachrufend:*
Nimm auch den Stuhl, als heil'ger Klappstuhlträger!

Strophe

CHOR:
In dem Land der Schattenfüßler
Liegt ein See, wo Sokrates
Ungewaschen Geister bannt. –
Um zu schauen seinen mut'gen
Geist, der lebend ihm entflohen,
Kam Peisandros auch dahin,
Ein Kamel von einem Lamm
Bracht er mit, schnitt durch die Gurgel,
Trat zurück dann wie Odysseus –

Da entstieg der Tiefe, lechzend
Nach dem Herzblut des Kameles,
Chairephon, die Fledermaus!

Eine Abordnung der Götter tritt auf: Poseidon, kenntlich an seinem Dreizack, Herakles mit Löwenfell und Keule, der Triballer mit einem Knüppel und im neuen Mantel, den er nicht recht zu werfen weiß.

POSEIDON *zu Herakles:* Da siehst du Wolkenkuckucksburg vor dir,
Die Stadt, wohin wir als Gesandte ziehn.
Zum Triballer: Nein, wirft sich der den Mantel linkisch um!
Schlag ihn doch über, wie's der Brauch verlangt!
Geht dir's wie dem Laispodias, armer Tropf? –
O Demokratie, wo bringst du uns noch hin,
Wenn Götter solche Kerls zu Ämtern wählen!
Versucht, ihm den Mantel zu ordnen: So halt doch still! Zum Henker! So barbarisch
Wie den hab ich noch keinen Gott gesehn!
Was tun wir jetzt nur, Herakles?

HERAKLES: Wie ich sage:
Ich dreh dem Kerl den Hals um, der es wagt,
Die freie Luft den Göttern zu vermauern!

POSEIDON: Doch, Freund, zur Unterhandlung schickt man uns.

HERAKLES: Nur umso mehr noch, mein ich, würg ich ihn.

PEITHETAIROS *tritt heraus, ruft in sein Haus hinein:*
Die Käseraspel! – Bring mir den Asant!
Gut! Und den Käs! Und schür mir auch die Kohlen!
Vogelsklaven bringen einen Herd und allerlei Kochgerät, Fleisch und Zutaten.

POSEIDON *zu Peithetairos:* Du, Mensch, wir Götter, unser drei, wir bieten
Dir unsern Gruß!

PEITHETAIROS *unter der Türe beschäftigt, ohne von den hohen Gästen Notiz zu nehmen:*
Ich reib Asant drauf!
HERAKLES: Was ist denn das für Fleisch?
PEITHETAIROS *ohne sich umzusehen:* Von Vögeln, die,
Der Volksgewalt der Vögel trotzend, schuldig
Gesprochen wurden!
HERAKLES: Und da reibst du nun
Asant darauf?
PEITHETAIROS *sich umsehend:* Du, Herakles? Ei, willkommen!
Was tust du hier?
POSEIDON: Die Götter senden uns,
Um gütlich diesen Krieg –
PEITHETAIROS, *ohne ihn weiter zu beachten, ruft hinein:*
Geschwind! Im Krug
Ist nicht ein Tropfen Öl mehr! – Schwimmen müssen
Im Fett gebratne Vögel! So gehört sich's!
POSEIDON: Wir sehen keinen Vorteil ab beim Krieg,
Ihr aber, wollt ihr's mit den Göttern halten,
Habt Regenwasser g'nug in allen Pfützen
Und lebt von nun an halkyonische Tage.
Hierfür ist unsre Vollmacht unbeschränkt!
PEITHETAIROS: Wir haben nicht zuerst den Krieg mit euch
Begonnen; doch wir wollen, wenn ihr jetzt euch
Bequemt zu tun, was recht und billig ist,
Gern Frieden machen; recht und billig aber
Ist es, dass Zeus das Zepter uns, den Vögeln,
Zurückgibt! Wollt ihr? – Nun, dann habt ihr Frieden!
Und die Gesandten lad ich ein zum Frühstück!
HERAKLES: Annehmlich scheint mir das; ich stimme: Ja!
POSEIDON: Was denkst du? – O du Fressmaul! O du Tölpel!
Den Vater willst du um die Herrschaft bringen?
PEITHETAIROS: Meinst du? – Vergrößert nur wird eure Macht,

Ihr Götter, wenn die Vögel drunten herrschen!
Jetzt ducken unterm Wolkendach die Menschen
Sich schlau und schwören täglich falsch bei euch.
Doch, habt ihr zu Verbündeten die Vögel,
Und schwört ein Mensch beim Raben und beim Zeus
Und hält's nicht: fliegt der Rabe ihm urplötzlich
Aufs Haupt und hackt und kratzt das Aug ihm aus.
POSEIDON: Ja, beim Poseidon, der Beweis ist schlagend!
HERAKLES: Das mein ich auch!
PEITHETAIROS *zum Triballer:* Und du?
DER TRIBALLER: Heim gan wir drei!
HERAKLES: Du hörst, er meint, 's geht an!
PEITHETAIROS: Nun höret weiter!
Noch vieles tun wir sonst zu eurem Besten.
Gelobt ein Mensch den Göttern Opferfleisch
Und meint dann pfiffig: »Götter können warten«,
Und zahlt die Schuld nicht ab aus purem Geiz –
Wir treiben sie schon ein!
POSEIDON: Wie macht ihr das?
PEITHETAIROS: Wenn so ein Mensch sein Geldchen grade hin
Und her zählt oder just im Bade sitzt,
Da schießt ein Weih herunter, rapst das Geld
Ihm für zwei Schafe weg und bringt's dem Gotte!
HERAKLES: Ich stimme, wie gesagt, dafür, das Zepter
Ihm abzutreten!
POSEIDON: Frag auch den Triballer!
HERAKLES *seitwärts zum Triballer:* Triballer, willst du Prügel –
TRIBALLER: Ja, stockprügeln ik
Schon wollen dik!
HERAKLES: Er will! Du hörst es selbst!
POSEIDON: Gefällt's euch so, so kann's auch mir gefallen!
HERAKLES *zu Peithetairos:*
Du, mit dem Zepter hat es keinen Anstand!

PEITHETAIROS: Nun gut! – Doch halt, da fällt mir noch was ein!
Die Hera überlass ich gern dem Zeus,
Doch fordre ich Basileia, die Jungfrau,
Zum Weib!
POSEIDON: Dir ist's nicht Ernst mit dem Vertrag!
Kommt! Lasst uns gehn! *Wendet sich zum Gehen.*
PEITHETAIROS: Mir gilt es gleich! *Zu einem Sklaven:* Du Koch,
Ich sag dir, mach die Soße nur recht süß!
HERAKLES: Bleib doch, Poseidon, wunderlicher Kauz!
Krieg um ein Weib – wo denkst du hin?
POSEIDON: Je nun,
Was denn?
HERAKLES: Was denn? Wir schließen den Vertrag!
POSEIDON: Du Tor, du bist betrogen! Merkst du nichts?
Du bist dir selbst zum Schaden! – Wenn nun Zeus
Die Herrschaft abtritt – denk nur – und er stirbt,
Bist du ein Bettler! – Dir gehört die Erbschaft
Ja ganz, die Zeus im Tod einst hinterlässt!
PEITHETAIROS *zu Herakles:* Das ist doch arg! Wie der dich übertölpelt!
Komm her zu mir und lass dir's explizieren:
Dein Oheim täuscht dich, armer Narr! An dich
Kommt nicht ein Deut von deines Vaters Gut
Nach dem Gesetz: denn du – du bist ein Bastard!
HERAKLES: Ein Bastard, ich?
PEITHETAIROS: Bei Zeus! Du bist's: als Sohn
Vom fremden Weib! Gesteh, wie konnte sonst
Athene erbberechtigt sein als Tochter,
War noch ein ebenbürt'ger Bruder da?
HERAKLES: Wie aber, wenn mein Vater mir das Gut
Vermacht als Nebenkindsteil?
PEITHETAIROS: Das Gesetz

Verbietet's ihm! Poseidon selbst, der jetzt
Dich spornt – der Erste war er, der das Erbe
Dir streitig macht' als Bruder des Verstorbnen!
Hör an, wie das Gesetz des Solon lautet:
»Ein Bastard ist von der Erbfolg ausgeschlossen, wenn eheliche Kinder
da sind. Sind aber keine ehelichen Kinder da, so fällt die Erbschaft an die nächsten Agnaten.«

HERAKLES: So wär des Vaters Hinterlassenschaft
Für mich verloren?

PEITHETAIROS: Ja! – Oder hat dein Vater
Dich richtig schon ins Zunftbuch eingetragen?

HERAKLES: Wahrhaftig, nein! Das hat mich längst gewundert!

PEITHETAIROS: Was gaffst du so hinauf mit Racheblicken?
Hältst du's mit uns, dann mach ich dich zum König
Und Herrn und speise dich mit Hühnermilch!

HERAKLES: Mir schien's von Anfang: Billig ist die Fordrung,
Die du gemacht: ich gebe dir das Mädchen! –

PEITHETAIROS *zu Poseidon:* Und du, was sagst denn du?

POSEIDON: Dagegen stimm ich.

HERAKLES: Dann gibt den Ausschlag der Triball! *Zum Triballer:* Sprich du!

DER TRIBALLER: Der schöner Junkfrouwen, die Kunigin stolze
Dem Voggel übergebben ick!

HERAKLES: Du hörst:
Er übergibt sie.

POSEIDON: Nein, das klingt nur so,
Weil Kauderwelsch er wie die Schwalben zwitschert.

PEITHETAIROS: So meint er wohl: er gebe sie den Schwalben!

POSEIDON: Macht ihr das miteinander aus: Schließt ab!
Ich schweige, denn ihr wollt ja doch nicht hören.

HERAKLES *zu Peithetairos:* Wir gehen alles ein, was du verlangst:

Komm du mit uns jetzt selber in den Himmel
Und hol dir die Basileia samt Gefolge.

PEITHETAIROS, *auf die mit der Speisenzubereitung beschäftigten Sklaven weisend:*
Da hätten die ja eben recht geschlachtet
Zur Hochzeit!

HERAKLES: Ist's euch recht, so bleib ich hier
Und mach den Braten fertig! Geht ihr nur!

POSEIDON: Was, braten, du? Du sprichst aus reiner Naschlust!
Kommst du wohl mit?

HERAKLES: Da wär ich schön beraten! *Geht ins Haus.*

PEITHETAIROS *zu einem Sklaven:*
Du, geh und hol mir schnell ein Hochzeitskleid.
Der Sklave bringt es. Alle zur Seite ab.

Gegenstrophe

An der Wasseruhr in Richtheim
Wohnt ein wahres Gaunervolk,
Zungendrescher zubenannt.
Mit der Zunge sä'n und ernten,
Dreschen sie und lesen Trauben,
Suchen Feigen, zeigen an.
Von Barbaren stammen sie,
Gorgiassen und Philippen;
Und der Zungendrescher wegen,
Der Philippe, gilt die Sitte,
Dass in Attika die Zunge
Immer ausgeschnitten wird!

Exodos

BOTE *tritt auf, feierlich:*

O überschwenglich, unaussprechlich, hoch
Beglücktes, dreimalsel'ges Vogelvolk!
Empfangt im Haus des Segens den Gebieter:
Er naht sich leuchtend, überstrahlend selbst
Den Sternenglast der goldumblitzten Burg,
So blendend, herrlich, dass der Sonne Lichtglanz
Vor ihm erblasst: so naht er an der Seite
Der unaussprechlich schönen Braut und schwingt
Den Blitzstrahl, Zeus' geflügeltes Geschoss.
Ein unnennbarer Duft durchströmt des Weltalls
Urtiefen, und des Weihrauchs Hauch umfächelt
Des Dampfes krause Wölkchen: sel'ges Schauspiel!
Doch sieh, da naht er selbst! – Erschließt den Mund,
Den glückweissagenden, der heil'gen Muse!

CHOR *stellt sich in Parade:*

Wendet euch, teilet euch, stellet euch, machet Platz!
Schwärmet
In seliger Lust um den sel'gen Mann!

Der Zug naht sich: Peithetairos in feierlichem Ornat und mit dem Blitzkeil in der Hand, Basileia mit sich führend; Gefolge mit Fackeln.

Ah, welch ein Zauber, welche Schöne!
Glücksel'ges Band, das unsrer Stadt
Zum Heil du geknüpft! –

Welch ein großes Heil ist dem Vogelvolk
Widerfahren durch ihn, den göttlichen Mann!
So lasset mit bräutlichen Liedern uns denn
Und festlichem Jubel den Bräutigam
Und die Braut Basileia empfangen!

Strophe

Mit Hera, der Himmlischen,
Vermählten die Moiren einst
Den mächtigen Herrscher auf
Erhabenem Götterthron
Mit solchem Hochzeitsliede.
Hymen, o Hymenaios!

Gegenstrophe

Der blühende Erosknab
Mit goldenen Schwingen lenkt'
Die Zügel des Brautgespanns,
Brautführer des großen Zeus
Und der glücklichen Hera.
Hymen, o Hymenaios!

PEITHETAIROS *hoheitsvoll:*
Mich erfreuet das Lied, mich ergötzt der Gesang
Und der festliche Gruß! Doch besinget nun auch
Des ländererschütternden Donners Gewalt
Und die leuchtenden, zuckenden Blitze des Zeus
Und die Glut der zerstörenden Flammen!

CHOR:
Leuchtender, goldner, gewaltiger Flammenstrahl,
Göttlich unsterbliche, glühende
Waffe, o erdgrunderschütternde, krachende,
Regenumrauschte Gewitter,
Welche nun er in der Hand hält,
Durch dich hat er nun alles
Und die Basileia, fürstliches Kind des Zeus!
Hymen, o Hymenaios!

PEITHETAIROS *singend:*

Nun folgt als Hochzeitsgäste mir,
  Leichtbeschwingte Brüder all,
Folgt mir zum Gefild des Zeus,
  Zur Vermählungslagerstatt!

Zu Basileia:

Reich, Selige, mir deine Hand,
  Fass mich an den Flügeln und
Lass dich im Reigen schwingen und
  Heben hoch empor im Tanz!

Sie tanzen.

CHOR: Tralala, juchhe, juchhe!
Heil dem Siegbekränzten, Heil,
Heil dem Götterkönig!

Alle ziehen mit dem Brautpaar an der Spitze aus.

Anmerkungen

Die Wolken

25 *Das gab's früher nicht:* Nämlich im Frieden, als man auf dem Lande lebte und die Sklaven auf dem Feld arbeiten mussten.

27 *Pheidonides:* »Sohn der Sparsamkeit«.

30 *Fehlgeburt:* Anspielung auf Sokrates' Wort, er übe mit seiner Methode die Hebammenkunst aus wie seine Mutter (Platon, *Theaitos* 148 e–151 c).

31 *Mantel:* Nämlich um ihn in Viktualien umzusetzen.

32 *Von Pylos, die spartanischen Gefangnen:* Die auf der Insel Sphakteria vor Pylos 425 v. Chr. gefangene Kerntruppe der Spartaner. *Richter:* Spott auf die bekannte Gerichtsleidenschaft der Athener.

33 *wir und Perikles steckten's hin:* Ein Aufstand Euböas wurde 446/5 v. Chr. niedergeworfen; die große Gefahr, in die Athen durch einen gleichzeitigen Einfall der Spartaner in Attika geriet, konnte Perikles durch Bestechung des jungen Spartanerkönigs Pleistoanax abwenden (Thukydides I 114; II 21).

33 *In Lüften schweb ...:* Von Sokrates in Platons *Apologie* 19 c eigens zurückgewiesen. Das Bild konkretisiert den Sokrates vorgeworfenen Atheismus. – Man darf das im weiteren gezeichnete Sokratesbild nicht einfach für authentisch nehmen: Getreu karikierte Eigentümlichkeiten sind sicher die persönlichen Züge und die antilogische Methode – wenngleich sich Sokrates von der amoralischen sophistischen Eristik distanzierte, wobei fraglich ist, ob das den Zeitgenossen so deutlich war, wie es Platon erscheinen lässt –; aber vieles andere, wie kosmologische und meteorologische Spekulation, grammatische Studien und besonders Verbindung mit mystischen Weihen und die Luft-Religion, ist weitgehend Gut anderer Denker; allerdings ist es geeignet, den geistigen Raum des Philosophen, wie er dem Komödienspott erscheint, zu versinnbildlichen: die esoterische, abwegige, ›luftige‹ Spekulation.

34 *So setze dich auf diesen heil'gen Sitz ...:* Ein förmliches Initiationsritual orphischer Mysterien.

35 *Allwaltende Herrin, unendliche Luft ...:* Nach der bekannten Luft-Theologie des Diogenes von Apollonia (Ende 5. Jh. v. Chr.).

36 *Okeanos' Gärten:* Garten der Hesperiden, im äußersten Westen.
37 *Geheimnis mystischer Feier:* Die eleusinischen Mysterien, zu Ehren Demeters und Persephones.
des Bakchos Fest: Die großen Dionysien.
38 *An dem Eingang dort:* Nämlich des Theaters.
39 *Propheten echt thurischen Stamms:* Spott auf Lampon, der 444 v. Chr. auf ein Orakel hin Thurioi am Golf von Tarent mitgegründet hatte.
Dithyrambische Schnörkelverdrechsler: Die modernistischen Musiker und Dichter gekünstelten Stils und ›chromatischer‹ Harmonik.
und für diese Ergüsse verschlingen /Sie ...: Als Preis im musischen Agon.
42 *Wenn in reichlichem Maße ...:* Meteorologie nach Lehren von Anaxagoras, Demokrit und besonders Diogenes von Apollonia.
47 *Strepsiades ... das Recht zu verdrehn:* Im Griechischen erklärt der Vers den Namen: *strepsodikein* ist »Recht verdrehen«.
49 *Komm, leg den Rock ab:* Initiationsritus; Strepsiades befürchtet, Prügel zu erhalten.
gestohlnes Gut zu suchen: Vor einer Haussuchung hatte man den Mantel abzulegen, damit man keinen Gegenstand zur Denunzierung unterschieben konnte, vgl. Platon, *Gesetze* 954a.
Honigkuchen ...: Die *Höhle* des *Trophonios*, Sohnes des Apolls, bei Lebadeia in Böotien war ein schauriger Orakelort, in dem es Schlangen gab, die man mit Honigkuchen besänftigte.
50 *»Liederlich und Tugendsam«:* Die beiden Hauptpersonen der i. J. 427 gegebenen *Schmausdorfer* (*Daitales*) des Aristophanes.
51 *Gleich Elektra ... kennt sie wohl:* Wie Elektra in Aischylos' *Choephoren* V. 164ff., die an der Haarlocke auf des Vaters Grab erkannte, dass Orest zurückgekehrt, so will die Komödie auf der Suche nach den klugen Zuschauern diese schon erkennen, wenn sie sie sieht – im Gegensatz zu der Elektra des Euripides (*Elektra* V. 254ff.), der die aischyleische Szene etwas beckmesserhaft aufgehoben hatte; die Kritik an Euripides ist die Pointe dieses Vergleichs.
das lederne Ding: Der Phallos des Schauspielerkostüms.
trag ich doch nicht stolzes Haar: Wie die vornehmen Ritter, d.h.

hier: Ich bin nicht stolz; ein selbstironischer Witz, denn Aristophanes war kahlköpfig.
Stieß ich nicht ... Kleon vor den Bauch?: Nämlich in den *Rittern.*
52 *»Marikas«:* Sklavenname, mit dem Hyperbolos bezeichnet war.
wie man Aale im Trüben fischt: Aristophanes *Ritter* V. 864ff.
Strophe: An Zeus, Poseidon, Äther, Helios.
53 *paphlagon'schen Gerber:* Den Demagogen Kleon.
Blitz und Donner sprühten wir: Nach einem Vers aus Sophokles' *Teukros.*
Und es trat der Mond aus seiner Bahn, die Sonne ...: Tatsächlich ereigneten sich i. J. 425 und 424 v. Chr. Mond- und Sonnenfinsternis.
54 *Sel'ge, im goldnen Tempel/Prangend zu Ephesos:* Artemis.
Dennoch habt auf ihre Tag/Ihr nicht pünktlich acht: Aktuelle Anspielung auf einen Versuch des Astronomen Meton, die Diskrepanz zwischen Sonnenjahr und lunarer Monatszählung zu beseitigen.
55 *Amphiktyonenbote:* Staatsrepräsentant einer Amphiktyonie, d. i. eines Völkerbundes zum Kult eines Gottes, z. B. zum Apollon-Kult in Delphi.
56 *enhoplisch:* »in Waffen«, Bezeichnung für ein Versmaß, ursprünglich ein Metrum für den Tanz/Marsch in Waffen: –◡◡–◡◡–⏓
Daktylos: Das Wort bedeutet »Finger«,; ebenfalls Bezeichnung für Versmaß: –◡◡
Spatz: Bei Aristophanes »Hahn«.
57 *Backtrog:* Im Griechischen *kardopos* mit femininem Genus, aber maskuliner Endung, die in -e zu ändern vorgeschlagen wird. Derartige ›Orthoepie‹ hatte der Sophist Protagoras (ca. 485–416) gelehrt.
Amynia: Der Vokativ von Amynias endet wie Feminina auf -a.
58 *Korinthier:* Wortspielerisch für *koreis,* das sind »Wanzen«; dem würde deutsch etwa »Wandsbeker« entsprechen.
60 *'ne Hexe/Mir in Thessalien:* Thessalien galt dem Altertum als Land der Zauberei. Die Fähigkeit, den Mond herabzubeschwören, wird den thessalischen Hexen oft nachgesagt, z. B. Platon, *Gorgias* 513 a.
Wenn nirgends/Der Mond ...: Am Neumondstag waren die monatlichen Zinsen zu bezahlen.
61 *Wie Maienkäfer, an dem Fuß den Faden:* Ein Knabenspiel.

64 Anspielung auf Diagoras von Melos, der Atheist gewesen sein soll (6./5. Jh. v. Chr.). Sokrates werden hier wie auch sonst in der Komödie Thesen anderer Philosophen zugeschrieben.
Flohfußgeometer: vgl. V. 144f., S. 30.
als Narren ihn verklagen: D.h. eine Entmündigungsklage anstrengen.

65 *»Zum Nötigen verwandt«:* Die euphemistisch-lakonische Rechtfertigung des Perikles für die Bestechungssumme, mit der er während des Aufstandes Euböas i. J. 446/5 v. Chr. den Spartanerkönig Pleistoanax zum Abzug aus Attika bewog (vgl. Anm. zu S. 33).

66 *»Geh hin deine Bahn nur immer«:* Halbvers aus Euripides' *Telephos*.

67 *Zeus,/ Der in Fesseln doch schlug seinen Vater:* Nämlich Kronos; Paradeargument gegen die traditionellen Göttervorstellungen, vgl. Aischylos, *Eumeniden* 640f., Platon, *Euthyphron* 5e; *Symposion* 195c.

68 *Mysier Telephos:* Telephos ist ein König von Mysien. Die Griechen fallen beim Zug gegen Troja in sein Gebiet ein. Seit Euripides' *Telephos*-Tragödie (438 v. Chr.) steht er für den Bettler par excellence. Die Tragödie wurde von Aristophanes immer wieder parodiert und verspottet, da der tragische Held, um Mitleid zu erwecken, in Lumpen gekleidet auftrat.
Sentenzen .../ Von Pandeletos: Von P. ist nichts bekannt, als dass er Sykophant gewesen sein soll. Sykophant bedeutet wörtlich »Feigenzeiger«. Herkunft des Wortes nicht sicher; berufsmäßiger Denunziant, aber, da es in Athen keinen Staatsanwalt gab, unvermeidliche Folge der Forderung nach privater Anzeige und Strafverfolgung.

71 *»Pallas, die Städteverwüsterin« oder: »Horch, was ertönt aus der Ferne«:* Dichter des ersten Liedes war der Lyriker Lamprokles oder Stesichoros (ca. 640 bis 555 v. Chr.), der des zweiten ist unbekannt.
Lieder mit Schnörkeln ... mit verkünstelten Koloraturen: Kritik an der modernen ›chromatischen‹ Musik des neueren attischen Dithyrambos, zu dessen Vertretern *Phrynis* gehörte.

72 *Urmode der goldnen Zikaden:* Manche vornehmen Athener trugen noch, wie in alter Zeit, das Haar in einem Schopf, den sie mit ›Zikaden‹ genannten Goldspangen feststeckten (vgl. Aristophanes,

Ritter V. 1331). Die Zikade, die man aus dem Erdboden erzeugt glaubte, symbolisierte den autochthonen Ursprung der Vornehmen. – *Buphonienzeit:* Buphonien, »Schlachten von Rindern«, waren ein alter Sühneopferritus zu Ehren des Zeus.

Vom Dirnchen mit Äpfeln beworfen: Der Apfel ist Liebessymbol.

73 *Hain Akademos':* Am Kephisos nahe Athen, mit einem Gymnasium, der Akademie, wo später Platon lehrte.

75 *Herakles ein kaltes Bad:* Athena ließ einst für den erschöpften Herakles bei den Thermopylen eine warme Quelle zum Bad entspringen.

76 *Peleus:* Zu Gast bei König Akastos von Iolkos, wurde Peleus von dessen Gattin Hippolyte, da sie sich ihm vergeblich angetragen, verleumdet und von Akastos waffenlos verjagt; doch die Götter schenkten ihm für seine Tugend durch Hermes ein Schwert und gaben ihm die Meergöttin *Thetis* zur Frau, die ihn jedoch nach der hier befolgten Version zwölf Tage nach der Geburt des Achill verließ.

77 *Arsch gekeilt und abgesengelt:* Strafe für Ehebrecher.

78 *Den Mantel hier ...:* Ins Haus der »Mysterien« tritt man ohne Oberkleid, vgl. V. 497, S. 49.

79 *Soll's die ganze Nacht durch regnen:* Nämlich um die Hochzeitsfackel auszulöschen – ein böses Omen.

80 *der Alt und Neue:* Letzter Tag des alten, erster des neuen Mondes; da werden die *Sporteln hinterlegt* für Prozesse gegen Schuldner. Sporteln sind Entgelder für Beamte; *sportula* = lat. »Geschenk«.

»Juchheißa! laut jubilier ich, überlaut!«: Aus einer Tragödie *Peleus*, wohl des Sophokles.

81 *So komm, o mein Kind ...:* Parodie von Euripides, *Hekabe* V. 172f.: »So komm, o mein Kind, o Tochter/ Der Unseligsten, komm her zu mir!/ O hör deiner Mutter Stimme!«

82 *Vorschmecker-Brauch:* Vorschmecker hatten zum Apaturienfest abends zuvor das Fleisch für das Volksmahl zu kosten (Athenaios 171c).

83 *Brav durchgelaugt ...:* D.h. zu Leder präpariert.

85 *»O hartes, wagenradzertrümmerndes/Geschick ...:* Parodie von Xenokles' (Sohnes des Karkinos) *Likymnios*, worin offenbar der Held durch Schuld des *Tlepolemos* mit dem Gespann verunglückte.

89 *als hättest du Zikaden zu bewirten:* Man glaubte, die Zikaden sän-

gen ihr Leben lang, ohne zu essen und zu trinken (vgl. Platon, *Phaidros* 259c).
wo der Bruder ... die eigne Schwester schändet: Makareus die Kanake in Euripides' *Aiolos.*

91 *»Die Kinder sollen heulen ...«:* Parodie von Euripides' *Alkestis* V. 691: »Dich freut, das Licht zu sehen; meinst du, den Vater nicht?« Antwort des Pheres auf das Ansinnen seines Sohnes Admet, sich für ihn dem Tod zu opfern; parodiert auch Aristophanes, *Thesmophoriazusen* V. 194.
die Alten sind bekanntlich zweimal Kinder: Sprichwort, vgl. z.B. Platon, *Gesetze* 646a, Plautus, *Mercator* 295f.

92 *Hat denn nicht aber dies Gesetz ...:* Manche Sophisten leugneten das Naturrecht und stellten ihm das positive Recht entgegen, z.B. Thrasymachos im 1. Buch des Platonischen *Staates.*

93 *Verbrecherloch:* Grube zur Hinrichtung von Verbrechern, vgl. Aristophanes, *Ritter* V. 1362.

94 *Das tun wir immer ...:* Eine komische Version der aischyleischen Theodizee: »durch Leiden lernen« (*Agamemnon* V. 177) und »Wenn's der Mensch forciert, dann packt auch der Gott mit an« (*Perser* V. 742).
Der Wirbel herrscht ...: = V. 828, vgl. S. 43f.
'nen Topf aus Ton: »Wirbel« wurde auch ein größerer Trinkbecher genannt; also Äquivokation.

96 *»In Lüften schweb und Helios übersehe ich«:* = V. 225, S. 33.

Die Vögel

104 *Mit Korb und Topf und Myrtenreis:* Für das Opfer bei einer Stadtgründung benötigte Gegenstände.

106 *Hat denn wohl/Ein Kampfhahn dich besiegt?:* Bei Hahnenkämpfen hieß der unterlegene »Sklave«.
weil er Mensch einst war: Anspielung auf die Geschichte des thrakischen Königs Tereus, Gemahl der Pandiontochter Prokne. Er vergewaltigt Philomele, die Schwester seiner Frau, und schneidet ihr die Zunge heraus. Prokne erfährt die Tat ihres Mannes durch ein Gewebe. Die Schwestern töten aus Rache Proknes Sohn Itys und

setzen ihn Tereus zum Mahl vor. Als Tereus den Frevel entdeckt und die Schwestern verfolgt, werden sie in Nachtigall und Schwalbe, Tereus in einen Wiedehopf verwandelt.

107 *Tu auf den Wald:* Statt: Tu auf das Tor.

So hat der Sophokles mich zugerichtet/ In seinem Trauerspiel: Nämlich im *Tereus*.

Wohl Heliasten?: Bei der bekannten Gerichtsleidenschaft der Athener (vgl. hierzu Aristophones *Wespen*) sind Athener und Geschworenenrichter identisch.

109 *fern am Roten Meer:* Bei uns der Persische Golf; so viel wie im Märchenland.

Die »Salaminia« auftaucht, uns zu holen: Anspielung auf die ein halbes Jahr zurückliegende Mission des Staatsschiffes »Salaminia« zur Abberufung des Alkibiades von dem Kommando über die sizilische Expedition i. J. 415 v. Chr. Alkibiades sollte sich gegen die Anklage des Mysterienfrevels und der Verstümmelung der Hermessäulen verantworten; er floh jedoch (vgl. Thukydides VI 53, 61).

um Melanthios: »um« hier in der Bedeutung »wegen«. Offenbar hatte *Melanthios* Aussatz. Der Ort *Lepreos* und der Stamm der opuntischen *Lokrer* (an der böotischen Küste, Euböa gegenüber) dienen nur dem Wortspiel.

ein wahres Hochzeitsleben: Die Neuvermählten aßen gemeinsam einen aus den genannten Zutaten angerichteten Kuchen.

110 *Die Götter hungert ihr gut melisch aus:* Im Vorjahr 416 v. Chr. hatte Athen die kleine, der südlichen Peloponnes vorgelagerte Insel Melos durch Aushungerung niedergezwungen und die Waffenfähigen sämtlich umgebracht (vgl. Thukydides V 116).

111 *meine Nachtigall:* Nämlich Prokne, s. Anm. zu S. 106.

O Gespielin, wach auf ...: Sehr ähnlich Euripides, *Helena* V. 1107 ff., die aber zwei Jahre später aufgeführt wurde; es ist wohl mit gemeinsamem lyrischem Vorbild zu rechnen.

113 *»mit den wandernden Eisvögeln«:* Floskel aus einem Gedicht des dorischen Chorlyrikers Alkman (Mitte 7. Jh. v. Chr.).

114 *»von fern aus fremdem Land«:* Halbvers aus Sophokles' *Tyro*. – *»Der seltsam stolze bergaufsteigende Prophet«:* Aus Aischylos' *Edonen*. – *Perservogel* hieß der Hahn: Er war aus Persien eingeführt.

115 *Der da ist Philokles' Sohn ...:* Philokles (Neffe von Aischylos, auch Tragiker) schrieb ebenfalls einen *Tereus* oder *Wiedehopf*, der hier als Enkel des sophokleischen Wiedehopfs bezeichnet wird. Benennung des Enkels nach dem Großvater war bei den Griechen häufig.
'nen Wettlauf: Nämlich Wettlauf mit Rüstung.

116 *»steh nimmer meinen Freunden fern«:* Nach Aischylos' *Choephoren* V. 826: »das Unheil steht den Freunden fern«.

119 *Dass uns keine Eule packt:* Die Eule, der Athena heilig, wird den Topf, typisch athenisches Produkt, nicht angreifen.

120 *Blutsverwandte meiner Frau:* Der Prokne, Tochter des athenischen Königs Pandion.

122 *Auf dem Töpferplatz! ... Vogelsberg:* Auf dem Töpferplatz (*Kerameikos*) erhielten die im Kampf fürs Vaterland Gefallenen ein Staatsbegräbnis (z.B. Thukydides II 34). Vogelsberg (*Orneai*) hieß eine Stadt in der Argolis, die im Vorjahr erobert worden war, freilich ohne einen Toten, da die Einwohner flohen (Thukydides VI 7).

123 *Wie ihn mit seinem Weib der »Affe« schloss:* Den Spottnamen »Affe« hatte ein gewisser Panaitios, der zu den Mysterienfrevlern gehörte; klein und hässlich, stand er unter dem Pantoffel seiner offenbar temperamentvollen Frau und vereinbarte deshalb einen *modus vivendi* mit ihr.
So wahr ich ... zu siegen wünsch: Nämlich als Chor im Komödienagon.

124 *Einen Kranz her, Bursch, und ein Becken!/... EU. Wie? Geht es zum Schmause denn?:* Bekränzung und Waschung vor der heiligen Handlung und der Rede ebenso üblich wie vor dem Mahle, daher das Missverständnis.

125 *Schopfloch:* für das griech. *kephale*, d.i. »Kopf«, Name eines attischen Demos.

126 *der persische Vogel:* Vgl. Anm. zu S. 114.
mit der aufrecht spitzen Tiara: Diese durfte nur der Großkönig tragen, während die übrigen Perser eine flache Tiara trugen (vgl. Xenophon, *Anabasis* II 5, 23).

127 *Vor dem Weih in den Staub sich zu werfen:* Dieser Brauch galt dem Weihen als Frühlingsboten. Der Weih, die Weihen (Pl.), Greifvogel, gehört zur Familie der Habichtartigen.

In den Hals mir hinunter mein Obolosstück: Man verwahrte Münzen gern im Munde, vgl. auch Dickens, *David Copperfield*, Ende 12. Kap.

128 *»Kuckuck, in das Feld, geile Brüder«:* Der Witz beruht auf dem obszönen Doppelsinn von ›Gersten-, Weizenkorn‹ und ›Acker, Feld‹ für männliche und weibliche Geschlechtsteile.

130 *Wie Babylon rund mit Mauern umziehn …:* Wie es Herodot I 178–181 schildert.

131 *den heiligen Krieg:* Kriegerische Auseinandersetzung um den Besitz von Delphi und des dortigen Apollonorakels (448 v. Chr.).

Körner dem Sperling: Mit obszönem Nebensinn: zu ›Körner‹ vgl. Anm. zu S. 128.

Kropfgans: Im Original »Möwe«; Herakles ist in der Komödie Fresser, vgl. Aristophanes, *Frieden* V. 741.

132 *»der schüchternen Taube vergleichbar«:* Nach Homers *Apollonhymnos* V. 114, vgl. auch *Ilias* 5, 778.

134 *»fünf Geschlechter erlebt …«:* Zitat aus einem verlorenen Gedicht Hesiods.

135 *Rechtlich, ohne Trug und treulich:* Offizielle Vertragsformel.

136 *Nikiasnickerei:* Nikias war in seinen Entschlüssen ein sprichwörtlicher Zauderer, wie z. B. sein Hinauszögern der sizilischen Expedition zeigt (vgl. Thukydides VI 8–25; Plutarch, *Nikias* 16).

138 *O ihr Menschen, verfallen dem dunklen Geschick …:* Die folgende Kosmo- und Theogonie parodiert die Theogonie Hesiods und andere epische und lyrische Theogonien. Sie ist Aischylos, *Prometheus* V. 547 f. nachgebildet.

139 *persische Vögel:* Vgl. Anm. zu S. 114.

140 *Als Vogel betrachtet ihr alles …:* Da der Vogelflug für Orakel eine große Rolle spielte, erlangte »Vogel« metonymisch die Bedeutung von Omen.

141 *Hühnermilch:* So viel wie märchenhaftes Wohlleben.

die hehre,/ Bergdurchschwärmende Mutter der Götter: Die aus Kleinasien stammende Kybele.

142 *Myser – Meise:* Im Original Phryger mit entsprechend ähnlich lautendem Vogelnamen. Die beiden Personen, nicht weiter bekannt, werden als Nichtathener verspottet.

143 *»Rosshahn«: Ein als Schildzeichen geführtes Fabeltier aus Aischylos' Myrmidonen.*
»Durch fremdes nicht, durch eigenes Gefieder«: Zitat aus Aischylos' *Myrmidonen:* Wegen Patrokolos' Tode beschuldigt sich Achill selbst mit den Worten des Adlers aus der äsopischen Fabel, der durch einen mit seinen eigenen Federn befiederten Pfeil getroffen ist.

144 *eine »fette« Stadt:* Anklang an Pindars Lobpreis Athens, zitiert bei Aristophanes auch in *Acharner* V. 639, *Ritter* V. 1329.
Peplos: Gewand, von adligen Frauen und Mädchen gewebt, mit dem bei den großen Panathenäen das hölzerne Bild der Athena Polias auf der Akropolis bekleidet wurde.
Wie kann denn Ordnung sein in einer Stadt ...: Parodie aus Euripides' *Meleager*, wo es weiter lautet: »wenn dort des Webstuhls Müh dem Mann obliegt,/ die Frau am Waffendienst Gefallen hat.«

145 *Der persische ...:* Vgl. Anm. zu S. 114.
Ich bin dabei ... heiß ich gut und *So töne, töne, töne pythischer Gesang:* Aus Sophokles' *Peleus*.

146 *Seeschwall-Beherrscher:* Poseidon, der auf Sunion einen berühmten Tempel hatte, dessen Ruine noch erhalten ist.
Die Chier sind doch immer mit dabei: Die Chier, besonders treue Bündner Athens, wurden in alle offiziellen Gebete für Athen mit eingeschlossen; das tut, aus der Rolle fallend, auch der Wolkenkuckucksburger.
Die Minuskelanfänge in dieser Passage deuten darauf, dass der griechische Text hier kein Metron aufweist.

147 *Mit Homeros zu sprechen:* Nämlich nach den Formeln »der Musen Diener« (*Hymn.* 32, 19) und »eifrige Diener« (*Ilias* 1, 321, *Odyssee* 1, 109 u.ö.).

148 *Wie kommst du denn als Knecht zu langem Haar?:* Langes Haar trugen nur freie Männer, vor allem Aristokraten.

150 *»Aber wenn Wölfe dereinst ... Sikyon trennt von Korinthos«:* Das Miteinanderleben von Wolf und Krähe und ein Land zwischen den dicht beieinanderliegenden Gebieten Sikyons und Korinths sind zwei Unmöglichkeiten, die rätselhaft den *Luftraum* meinen. Das Zwischenland zwischen Sikyon und Korinth kam so tatsächlich in Orakeln vor.

151 *im Kothurnschritt:* D.h. feierlich; Kothurn ist der hohe Schuh des tragischen Schauspielers.

151 *Backofenähnlich:* Vgl. *Wolken* V. 96f., S. 28.

152 *Man treibt hier, wie in Sparta,/ Die Fremden aus:* Die berühmte Fremdenausweisung *(Xenelasie)*, durch die die Spartiaten die Reinheit ihres Stammes erhielten, vgl. Xenophon, *Staat der Lakedämonier* 13, 4.

153 *Heulenburg* und *Beulenburg* als Städte, in denen Entscheidungen *(Maß und Gewicht und Recht)* erprügelt werden.

154 *Dem Allsehendallgewalt'gen:* Sonst Epitheton des Zeus.

155 *und wer der toten Volkstyrannen einen ...:* Der athenische Tyrannenhass ist notorisch.

156 *lauriot'schen Eulen:* D.h. Silbermünzen, die aus dem Silber der Minen von Laurion (im südl. Attika) hergestellt wurden und die Eule, Athenas Wappentier, als Prägung führten.

Auf die Giebel eurer Häuser einen Adler: »Adler« (Aëtos oder Aëtoma) nannte man das Giebelfeld des griechischen Tempels.

157 *»ich hab sie selber ausgemessen«:* Parodie Herodots (z.B. II 127).

ägyptischer Ziegler ...: Ägypter hier genannt als Erbauer der gewaltigen Pyramiden (vgl. Herodot II 124ff.).

»Was alles doch die Füße nicht vermögen«: Parodie eines Tragikerverses, wo »Hände« statt »Füße« stand.

158 *mit Waffentänzerblicken:* D.h. kriegerisch, grimmig blickend. Tänze von Jünglingen in voller Bewaffnung gab es an den kleinen Panathenäen.

»Abscheulicher, verruchter Frevler! Ha!«: Parodie aus Euripides, *Medea* V. 1121.

161 *»Zu opfern Schaf und Ochsen ...«:* Zitat aus Euripides' *Pleisthenes.*

»Dike dein Geschlecht/ Ausreute ...«: Zitat aus Sophokles' *Chryses – Ausreute:* ausmerzen.

mit »likymnischen Glutblitzen dich ...«: Anspielung auf Euripides' *Likymnios*, vielleicht auch Parodie.

»Lyder oder Phryger«: D.i. einfältiger Sklave; eine seltsame Zurechtweisung aus Euripides, *Alkestis* V. 675.

»Amphions Hallen/ Durch blitzetragende Adler niederäschern«: Parodie von Aischylos' *Niobe.*

162 *goldnen Kranz:* Höchste und außerordentliche Ehrung.
langes Haar und Knotenstöcke: Typisch spartanische Attribute.
Sokratisierte: Die Vernachlässigung des Äußeren charakterisiert ebenso wie die Spartaner auch Sokrates, vgl. *Wolken* V. 414ff., 835ff. (vgl. S. 45 und 64f.).
163 *Leib-Gericht:* Anspielung auf die athenische Gerichtsleidenschaft.
165 *»O wär ich ein Adler ... Schwingen«:* Zitat aus Sophokles' *Oinomaos*.
Waisenvogel: Seine folgende Bewaffnung (statt Befiederung) folgt athenischem Brauch: Die Waisen Gefallener wurden, heranwachsen, an den großen Dionysien in feierlicher Proklamation öffentlich bewaffnet (vgl. Aischines, *Gegen Ktesiphon* 154).
166 *»Auf zum Olymp feurigen Schwungs ...«:* Vers des Lyrikers Anakreon von Teos (6. Jh. v. Chr.).
168 *»Bring Flügel, Flügel! ...«:* Parodie aus Aischylos' *Myrmidonen*: »Bring Waffen, Waffen! ...«
nach Pellene: Stadt der nördlichen Peloponnes, wo bei Wettspielen dichte Wollmäntel als Preise ausgesetzt wurden.
»Graben kann ich nicht«: Nach dem Sprichwort: »Ich geh zu Fuß, denn schwimmen kann ich nicht«.
170 *Herzberg:* Für griech. *kardia* (auf der thrakischen Chersones), das bedeutet »Herz, Mut«.
172 *Triballer – trieb allen:* Der Kalauer des Originals ist nicht besser.
173 *Mich für 'ner Festkorbträg'rin Diener hält ... Klappstuhlträger:* Den Korbträgerinnen *(Kanephoren)*, jungen Mädchen aus vornehmen Familien, hatten bei der Panathenäenprozession Metökenmädchen einen Sonnenschirm zu halten und einen Stuhl nachzutragen.
Schattenfüßler: Märchenhaftes Volk in Libyen mit so großen Füßen, dass sie Schatten spendeten. *Sokrates* und die Sokratiker erscheinen in den *Wolken* (V. 103, 508 u. ö.) als Schattenbewohner. – *Ungewaschen:* Vgl. Anm. zu S. 162.
Geister bannt: Wie Odysseus im *Totenopfer* (*Nekyia*), *Odyssee* 11, das hier parodiert wird. – Zu *Peisandros'* Opfer vgl. *Odyssee* 11, 35ff. – *Trat zurück dann wie Odysseus:* Vgl. Odyssee 11, 95f.
174 *Da entstieg ...:* Wie die Seelen in der *Nekyia* a.a.O.
175 *Der Volksgewalt der Vögel trotzend:* Wie in Athen herrscht die Demokratie.

halkyonische Tage: D.h. friedliche, glückliche Tage, benannt nach den je sieben schönen Tagen vor und nach der Wintersonnenwende, da Meeresstille herrscht und der Eisvogel (*Halkyon*) brütet.

176 *»Götter können warten:* Nach einem Sprichwort, das freilich fortfährt: »sie sind nicht zu täuschen«.

177 *Dein Oheim:* Poseidon, Bruder des Zeus.

Vom fremden Weib: Anspielung auf Alkmene, die Frau des Thebaners Amphitryon, Geliebte des Zeus und Mutter des Herakles.

als Nebenkindsteil: Bis zu 100 Drachmen konnte der Vater dem Bastard testamentarisch vermachen, wenn er ihn zuvor in eine Phratrie (Sippe) adoptiert (Seeger: *ins Zunftbuch eingetragen*) hatte.

178 *Hühnermilch:* Vgl. Anm. zu S. 141.

Weil Kauderwelsch er wie die Schwalben zwitschert: Schwalbenzwitschern für Barbarensprache ist den Griechen ein geläufiger Vergleich, z.B. Aristophanes, *Frösche* V. 93 und Aischylos, *Agamemnon* V. 1050.

179 *An der Wasseruhr in Richtheim:* Gemeint ist das Gericht, wo mit der Wasseruhr die Redezeit bemessen wurde.

suchen Feigen: Im Griechischen Anspielung auf »Sykophant« (s. Anm. zu S. 68).

die Zunge/ Immer ausgeschnitten wird: Beim Opfer wurde die Zunge als besonders schmackhafter Teil in älterer Zeit für die Götter, dann für den Opferpriester (vgl. Aristophanes, *Frieden* V. 1060) herausgeschnitten.

180 *O überschwenglich ...:* Parodie einer Götterepiphanie.

Literaturhinweise

Griechischer Text:
N. Wilson (Hg.), *Aristophanis fabulae*, Oxford 2007.

Wissenschaftliche Kommentare zu den Wolken und Vögeln:
K.J. Dover, *Aristophanes*, *Clouds*, Oxford 1968.
N. Dunbar, *Aristophanes*, *Birds*, Oxford 1995.

Einführende Literatur (Gesamtdarstellungen):
N. Holzberg, *Aristophanes*, München 2010.
P. von Möllendorff, *Aristophanes*, Hildesheim – Zürich – New York 2002.
B. Zimmermann, *Die griechische Komödie*, Frankfurt a. M. 2006.